STÉPHANE PILET

MINECRAFT
LE GRAND LIVRE DES TRUCS ET ASTUCES

404 EDITIONS

LE GRAND LIVRE DES TRUCS & ASTUCES MINECRAFT

404 ÉDITIONS

Un département d'Édi8
12 avenue d'Italie 75013 Paris – France

Graphisme couverture : Axel Mahé

Graphisme intérieur : Delphine Ribeyre

Mise en page : Stéphane Pilet

ISBN : 979-1-0324-0170-5

Dépôt légal : février 2017

Imprimé en Slovénie

Loi N° 49-956 du 16 juillet 1949 sur les publications destinées à la jeunesse, modifiée par la loi N°2011-525 du 17 mai 2011.

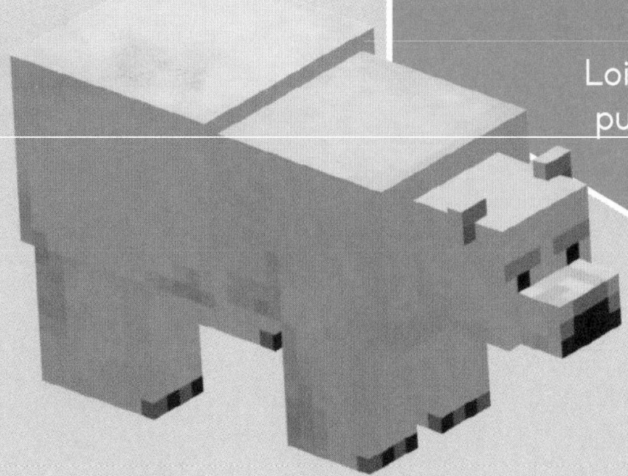

SOMMAIRE

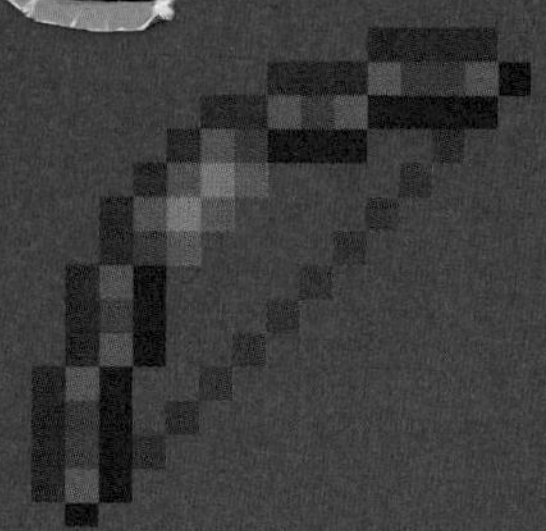

L'EXPLORATION

Minecraft est un univers gigantesque à explorer qui abrite de très nombreux secrets. Voici les astuces à retenir pour ne rien rater de l'essentiel quand tu débutes une partie en mode survie, seul ou avec des amis.

Premier abri

Ton premier abri doit contenir un établi, un ou plusieurs coffres pour entreposer les ressources récoltées pendant tes séances d'explorations, et un four afin de pouvoir cuire la nourriture que tu vas récupérer. La nourriture cuite régénère plus de points de vie que la viande crue. Une des premières choses à faire également est de chercher plusieurs moutons pour construire un lit et modifier le point de spawn. Ainsi, en cas d'accident, tu retrouveras aussitôt ton abri. Les premières ressources à trouver sont du bois, du charbon, de la pierre et quelques moutons pour la laine.

Du bon pain

Les graines de blé peuvent s'obtenir facilement en coupant les herbes situées un peu partout dans l'univers de Minecraft. En créant une houe, tu va pouvoir labourer le terrain et planter ces graines. N'utilise pas tes outils ou tes armes pour couper l'herbe, tu les userais inutilement (donne simplement des coups sur l'herbe avec ta main). Le blé permet de fabriquer du pain (c'est un aliment facile à concevoir et qui redonne 3 points de vie).

Bouclier

Dès que possible, utilise du bois et un lingot de fer pour te fabriquer un bouclier. Lorsque tu affronteras tes premiers squelettes, tu pourras te protéger contre leurs flèches. Ces dernières rebondissent sur le bouclier et peuvent blesser le squelette qui t'a tiré dessus.

Aux fourneaux

Le four est un accessoire utile pour fondre les minerais et en obtenir des lingots, mais aussi pour cuire vos aliments. Le charbon est le combustible le plus couramment utilisé mais si tu en manques, tu peux alimenter le four avec du bois, tout autre objet en bois ou de la lave dans un seau.

À la pêche !

Les plans d'eau recèlent de poissons et de surprises. La pêche nécessite de la patience (jusqu'à 40 secondes avant que la prise soit faite), mais te permet de récupérer également des objets ou des trésors.

Pêche au gros

Tu peux utiliser ta canne à pêche pour hameçonner des animaux et les attirer à toi. Cette méthode peut être utile pour ramener un animal près de ton abri si tu envisages de faire de l'élevage. Tu peux te servir de la canne pour les faire tomber d'une hauteur.

Chouette monture

La canne à pêche surmontée d'une carotte peut permettre de contrôler les cochons. Tu peux les attirer à toi et même les chevaucher si tu possèdes une selle (cet objet ne se fabrique pas mais peut se trouver dans des pyramides, chez le boucher ou en pêchant).

Village

Le village est un lieu où il est possible d'échanger des ressources contre des émeraudes. Ces ressources dépendent du métier du villageois avec lequel tu interagis (fermiers, libraires, prêtres, forgerons, cartographes ou bouchers).

Protéger un village

Lorsque la nuit tombe, les zombies qui apparaissent attaquent les villages. Tu peux rester pour les protéger ou créer des golems qui s'en chargeront (parfois, des golems sont déjà présents si le village compte plus de 10 villageois et 21 portes en bois). Pour fabriquer un golem il faut 5 blocs de fer, posés en T, et une citrouille pour la tête.

L'expérience

En mode survie, différentes actions permettent de gagner des points d'expérience (tuer des monstres, récupérer certains types de minerais). L'expérience sert par la suite de monnaie d'échange pour enchanter vos outils, armures ou armes.

Le bon coin

Chaque villageois débloque une nouvelle offre en achat et vente lorsque tu commerces avec lui. Au bout d'une ou plusieurs transactions, tu verras le villageois entouré de petites particules. Cela signifie qu'à la prochaine transaction, tu auras plus de choix.

Vie nocturne

Les monstres apparaissent la nuit, ou lorsque la luminosité est faible. Évite de t'installer en forêt, tu pourrais y rencontrer des squelettes en pleine journée ! Ces derniers, capables de te tirer dessus à distance, sont redoutables lors des premières confrontations. Sécurise une zone autour de ta maison, en installant des torches pour éloigner l'apparition des monstres.

Les océans

Les biomes océan et océan profond sont, comme leur nom l'indique, constitués d'eau. Pour y évoluer, le mieux est de construire une barque. C'est dans ces biomes que vous pourrez trouver des temples engloutis.

Les biomes

Il existe 18 biomes différents dans Minecraft et de nombreuses variations qui permettent de délimiter chaque environnement (plages de glace, rivières, etc.). Chaque biome possède un type de blocs prédominant (sable, pierre, terre, etc.) et une flore et une faune spécifiques.

C'est le désert

Les biomes désert sont constitués de sable essentiellement. On peut y trouver des villages. En explorant les déserts, tu pourras découvrir une pyramide (attention, elles sont piégées). Note également qu'il ne pleut jamais dans le désert !

Les plaines

Des collines, peu d'arbres, des lacs et des villages. Les biomes plaine sont idéaux pour s'installer. Tu y rencontreras des cochons, des moutons et des vaches. C'est également ici que tu peux croiser des chevaux. Il y a souvent beaucoup d'herbes, ce qui te permet de rapidement cultiver du blé.

Les marais

Les marais sont des biomes recherchés pour leur argile et la canne à sucre, qu'on peut facilement trouver. Attention, ces biomes sont aussi le repaire des sorcières et des slimes. Dans les cabanes de sorcières, tu peux trouver un chaudron.

Taïga froide

La taïga froide est un biome qui mêle forêt et montagnes. On peut y trouver des loups en plus grand nombre que dans les forêts. Il s'agit d'une variation du biome taïga sans neige, qui possède des caractéristiques similaires. L'altitude est élevée et on y trouve des lacs gelés.

Le manoir

Le manoir est un lieu dangereux où tu vas rencontrer des vindicateurs et des évocateurs, deux monstres agressifs. En tuant un évocateur, tu pourras récupérer un totem d'immortalité (qui se détruit pour te redonner de la vie si tu es sur le point de mourir). Tu peux localiser le manoir avec une carte qui s'achète auprès du cartographe.

Dans la jungle

La jungle est un biome recherché par les explorateurs pour ses temples, ses fèves de cacao ainsi que pour ses lianes qui peuvent servir d'échelles. En te promenant dans la jungle, tu pourras également explorer des temples. Attention aux pièges à l'intérieur. Tu pourras y trouver des coffres et des trésors.

Cartographie

La création de carte nécessite une boussole et 8 feuilles de papier. Lorsque tu crées une carte, elle reste vierge jusqu'à ce que tu l'actives (clic droit). La topographie du terrain ne se dessine que lorsque la carte est en main. Il est possible de modifier l'échelle d'une carte.

Biome champignon

Plus rare à dénicher, le biome champignon. Tu y trouveras de nombreux champignons géants. C'est dans ce biome que tu peux rencontrer les fameux champimeuh, ces vaches étranges qui produisent de la soupe au champignon... Le sol est souvent composé de mycélium, qui peut être récupéré avec l'enchantement "délicatesse". Il peut servir pour faire pousser des champignons géants.

Le portail de l'Ender

La forteresse est un gigantesque labyrinthe souterrain qui comporte de nombreuses salles (cellules, bibliothèques) dont une salle équipée d'un portail de l'Ender. Ce portail permet d'aller dans le monde de l'Ender, où tu affronteras l'Enderdragon. N'espère pas en venir à bout si tu n'es pas correctement équipé. Une technique consiste à poser un lit à côté du portail, afin de pouvoir retourner plus rapidement affronter ce dragon en cas de défaite.

Trouver une forteresse

Tu peux compter sur ta bonne étoile pour creuser dans ton monde, jusqu'à trouver l'entrée d'une forteresse, mais il est plus conseillé (et plus rapide) d'utiliser un œil de l'Ender. L'œil d'Ender se fabrique à l'aide d'une perle du Néant et d'un bâton de blaze. La perle peut être récupérée en tuant un Enderman. Le bâton de blaze, lui, se récupère en tuant un blaze, créature que l'on trouve dans le Nether. Une fois l'œil de l'Ender créé, il faut le jeter et suivre sa direction. L'œil est attiré par le portail. Quand tu le lances, il indique pendant quelques secondes la direction du portail avant de tomber. Quand l'œil tombe très vite, tu as localisé le portail. Ensuite, il faut creuser jusqu'à atteindre une des salles de la forteresse. Il n'y en a qu'une seule par monde, la trouver peut prendre du temps.

Les igloos

Les igloos sont des structures que tu peux explorer dans les plaines de glace et les taïgas enneigées (mais pas dans leurs variations). Dans les igloos, tu découvriras la plupart du temps un alambic pour fabriquer des potions.

Temple englouti

Le temple englouti ne se trouve que dans les biomes océan profond. Ce temple abrite des blocs d'or et des éponges (des blocs qui peuvent absorber de l'eau). Attention, dans ces temples, tu devras affronter les gardiens ainsi que le boss redoutable : l'ancien gardien.

À dos de lama

Les lamas se rencontrent dans les biomes collines extrêmes ou savane. Avec une laisse, tu peux les emmener dans tes sessions d'exploration. En posant un tapis sur le dos du lama, tu peux le chevaucher, mais pas le contrôler.

LA REDSTONE

La redstone permet de créer toutes sortes de mécanismes amusants. Voici des astuces pratiques que les amateurs de redstone se doivent de connaître.

BUD switch

Un BUD switch (Block Update Detector) est un mécanisme qui permet de détecter le changement d'état d'un bloc adjacent. Ce système est utilisé dans de nombreux mécanismes. L'un des usages courants est d'automatiser des tâches (ramasser des citrouilles lorsqu'elles ont suffisamment grossi). Le principe de ce mécanisme est de donner une impulsion redstone (un peu comme si on allumait et éteignait un interrupteur) pour activer un piston. Cette impulsion se déclenche seule, quand un bloc adjacent au piston change d'état (bloc détruit, posé, etc.).

Horloge redstone

Dans Minecraft, créer un courant redstone qui s'allume et s'éteint régulièrement permet de développer des mécanismes autonomes. On appelle ces systèmes des horloges. Il existe de nombreux moyens d'en créer. Le principe est d'alimenter un circuit une fois, puis le système fonctionne à l'infini. Ce type de système est souvent utilisé pour la mise en place de tourelles de défense, qui lancent des flèches enflammées ou tout autre type de projectile. Place les entonnoirs, comparateurs et / ou répéteurs comme sur les images pour fabriquer ton horloge.

Bloc de verre

Il n'est pas possible de placer de la poudre de redstone sur un bloc de verre. En revanche, tu peux y placer une torche de redstone. Sur une balise (créée à partir d'obsidienne, de verre et d'une étoile du Nether), tu ne pourras placer ni torche de redstone ni poudre de redstone.

Bloc de redstone

En associant 9 poudres de redstone, tu peux créer un bloc de redstone. Ce bloc est utilisé dans les mécanismes appelés BUD switch. Le bloc de redstone fournit du courant redstone en permanence, un peu comme une torche redstone.

C'est plus clair

La laine de couleur est très pratique pour tes constructions redstone. Elle permet de différencier de manière claire tes lignes de courant. Cette petite astuce s'utilise dès que tu commences à créer des mécanismes un peu complexes avec de la redstone.

On coupe !

Si un bloc est posé au-dessus d'une ligne de courant redstone, le courant sera coupé. Il existe cependant des blocs qui permettent de laisser passer le courant. Ainsi, un bloc de verre, un escalier ou un piston permettent de laisser passer la ligne de courant redstone.

Aiguillage

La poudre de redstone te permet de créer des aiguillages pour tes lignes ferroviaires. En effet, à un croisement de lignes, activer un signal redstone va changer l'orientation du rail. Tu peux ainsi créer des systèmes de transport dans ton univers.

Court-circuit

Il est possible d'éteindre une torche redstone en lui injectant un courant redstone. Cette technique est utilisée dans de nombreux mécanismes qui nécessitent de couper l'alimentation à un moment précis, par exemple pour faire descendre un piston.

Tête d'Enderdragon

La tête de l'Enderdragon peut être activée par une impulsion redstone. Lorsque du courant redstone l'alimente, sa mâchoire se met à bouger. Cette tête se récupère si tu arrives à vaincre l'Enderdragon en mode survie. Un joli trophée pour décorer ton salon !

Coffre sur entonnoir

Si tu places un coffre sur un entonnoir et que tu mets un objet dans ton coffre, ce dernier va automatiquement se placer dans l'entonnoir. L'entonnoir possède un inventaire limité à 5 objets de types différents. Placer un coffre sur un entonnoir permet ainsi de créer des systèmes de tri d'objets.

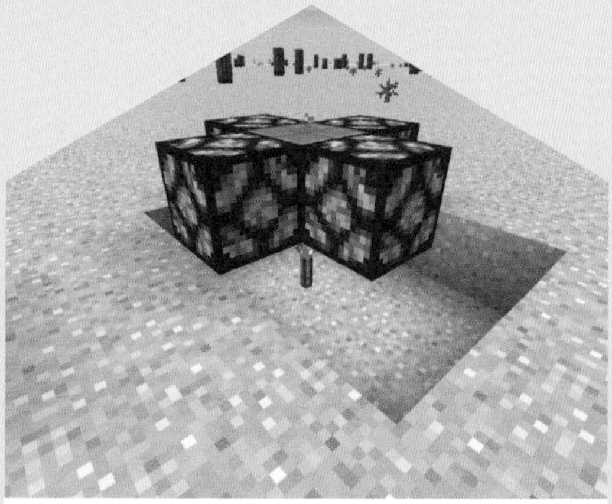

Torche redstone

La torche redstone fournit une alimentation en courant de manière continue. Si tu places une torche sous un bloc, cela l'alimentera en redstone. Si tu places des blocs lumineux autour de ce bloc, ces derniers s'allumeront.

Le fourneau

À l'instar du coffre et de l'entonnoir, le fourneau crée du courant redstone à partir du moment où un objet se trouve dans l'un de ses emplacements, que ce soit une matière combustible, un objet à transformer ou le résultat de la transformation de l'objet. Le courant créé est d'au moins un bloc d'intensité.

Activer 2 pistons

En posant un bloc derrière deux pistons et en plaçant un levier sur ce bloc, tu pourras activer les deux pistons d'un coup. Poser le levier (ou un bouton) sur un bloc va à la fois alimenter le bloc du dessous et celui adjacent au levier.

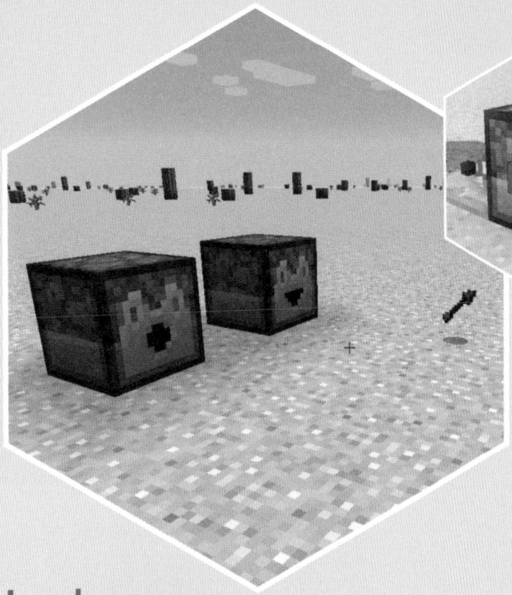

Le dropper

Le dropper, contrairement au distributeur, se contente de lâcher au sol l'objet qu'il contient. Il est utilisé par exemple dans différents types de machines à potions, qui lâchent une fiole ou un ingrédient dans un alambic lorsque le dropper est activé par une impulsion redstone.

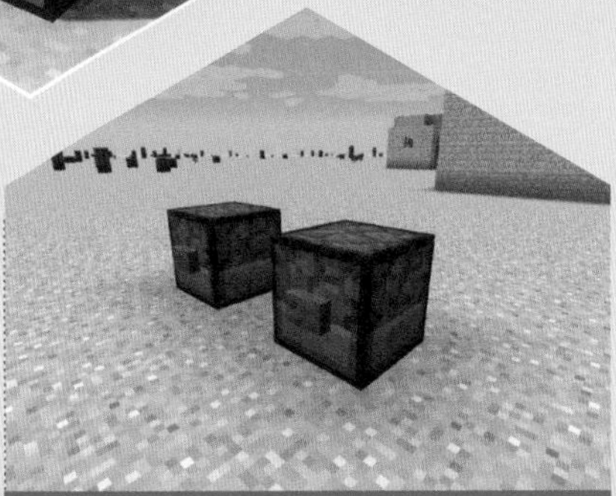

Activer un dropper

Tu peux placer un bouton directement sur un bloc distributeur ou un dropper. Lorsque tu activeras le bouton, une impulsion redstone va déclencher le mécanisme pour lancer ou déposer un objet au sol.

Le répéteur

Cet objet permet de prolonger la puissance du courant redstone. Lorsque tu alimentes la poudre de redstone avec un mécanisme ou une torche redstone, le courant se propage 15 blocs plus loin. Le curseur sur ce bloc permet de décaler de quelques millisecondes la propagation du courant redstone.

Redstone et verre

Lorsque tu places un répéteur devant un bloc et qu'il est alimenté, le bloc sera également chargé en redstone, ce qui permet de propager le courant au-delà de ce bloc. En revanche, si tu places un bloc de verre, il n'est pas conducteur du courant.

Escaliers

Tu ne peux pas mettre de poudre de redstone sur un escalier posé à l'endroit. En revanche, si tu le places à l'envers, tu pourras déposer de la poudre de redstone sur la partie plane de l'escalier.

Dans tous les sens

Un bloc que tu alimentes avec un bouton ou un levier va pouvoir envoyer du courant redstone sur les côtés du bloc, et également en dessous. Penses-y lorsque tu prépare tes mécanismes et que tu souhaites que la poudre de redstone ne soit pas visible. En règle générale, tâche de cacher tous tes câbles redstone en sous-sol.

Bloc observateur

Le bloc observateur permet de détecter le changement d'état d'un bloc adjacent et par le fait, de déclencher un circuit redstone. De cette manière, tu peux par exemple fabriquer un piège qui se déclenchera quand un joueur passera pour te voler des carottes !

Capteur solaire

Le capteur solaire permet de générer du courant redstone selon l'intensité de la lumière du jour. Il est possible de créer un système pour inverser le système et fabriquer du courant uniquement lorsqu'il fait nuit. Il faut 3 quartz du Nether pour fabriquer un capteur solaire.

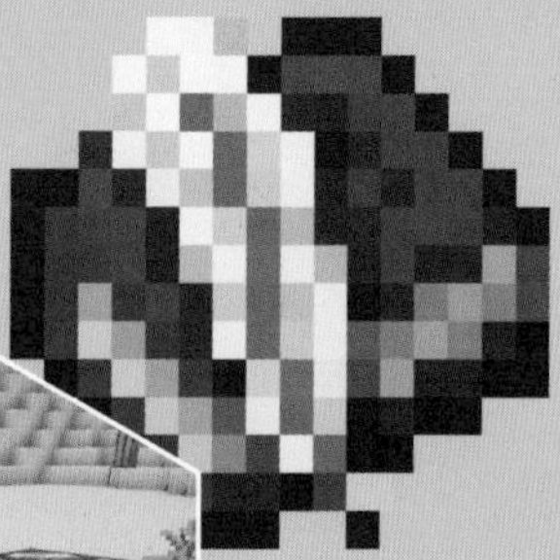

Levier et bouton

Le levier et le bouton sont des interrupteurs qui peuvent être posés sur un bloc et qui génèrent un courant redstone lorsqu'ils sont activés. Pour le levier, ce courant est actif lorsque la position "on", est enclenchée. Pour le bouton, l'impulsion redstone dure un moment, puis s'éteint. Il est possible de modifier le temps d'impulsion avec un bouton en utilisant des répéteurs redstone.

Distributeur

Le distributeur est un mécanisme qui permet de lancer un objet placé préalablement à l'intérieur. Il peut contenir jusqu'à 9 objets différents et est souvent utilisé pour créer des pièges qui, en se déclenchant, tirent des flèches. Un distributeur peut contenir 576 flèches. Le circuit le plus classique est constitué d'une boucle redstone qui s'allume et s'éteint de manière régulière, activant ainsi le mécanisme de distribution.

Cadre connecté

Outre l'aspect décoratif qu'il possède, le cadre est un objet qui permet de générer du courant redstone. Lorsque tu places un objet dans le cadre, il peut prendre une position différente à chaque clic droit que tu appliques dessus. Il est possible de lui donner 8 positions différentes. Pour récupérer du courant redstone, tu dois placer un comparateur derrière le cadre. Selon la position de l'objet placé dedans, tu alimenteras jusqu'à 8 blocs de courant redstone. Cela permet de créer des mécanismes qui se déclenchent uniquement lorsque tu tournes l'objet dans le sens souhaité. Mr Crayfish est un youtubeur anglais qui s'est servi de ce principe pour fabriquer plusieurs types de machines à potions. Ces machines permettent d'automatiser la création de potions en plaçant juste les ingrédients aux bons endroits.

Décalage

Tu peux déplacer le curseur du répéteur pour décaler de quelques millisecondes la propagation du courant redstone. En utilisant plusieurs répéteurs, tu pourras créer des décalages en secondes.

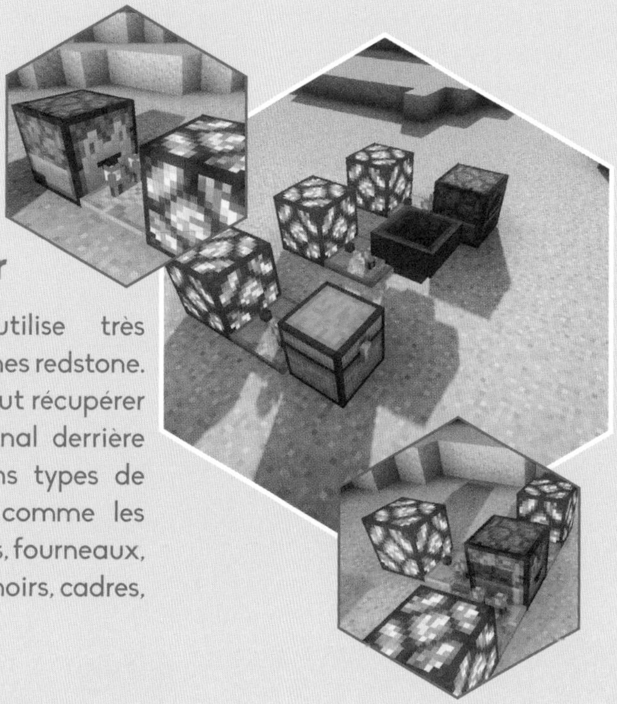

Le comparateur

Le comparateur s'utilise très souvent dans les systèmes redstone. C'est le seul bloc qui peut récupérer un signal derrière certains types de blocs comme les coffres, fourneaux, entonnoirs, cadres, etc.

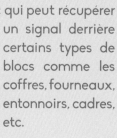

L'ALCHIMIE

Devenir un alchimiste est un travail de longue haleine : voici des astuces qui te permettront de t'organiser. Nul doute que tes amis te seront reconnaissants lorsque tu leur fourniras de quoi explorer les fonds marins ou affronter l'Enderdragon !

L'alambic

Créer un alambic nécessite 3 pierres ainsi qu'un bâton de blaze. C'est ce dernier qui est au départ le plus délicat à obtenir. Il faut en effet créer un portail du Nether (donc posséder une pioche en diamant et miner de l'obsidienne pour fabriquer le portail) et explorer ce monde jusqu'à découvrir une forteresse (une sorte de gros château aux murs sombres). C'est à l'intérieur de cette forteresse que tu vas rencontrer le blaze, un monstre de feu. En le tuant, tu auras une chance sur deux de récupérer un bâton de blaze. Mieux vaut bien se protéger avant d'aller affronter ces monstres.

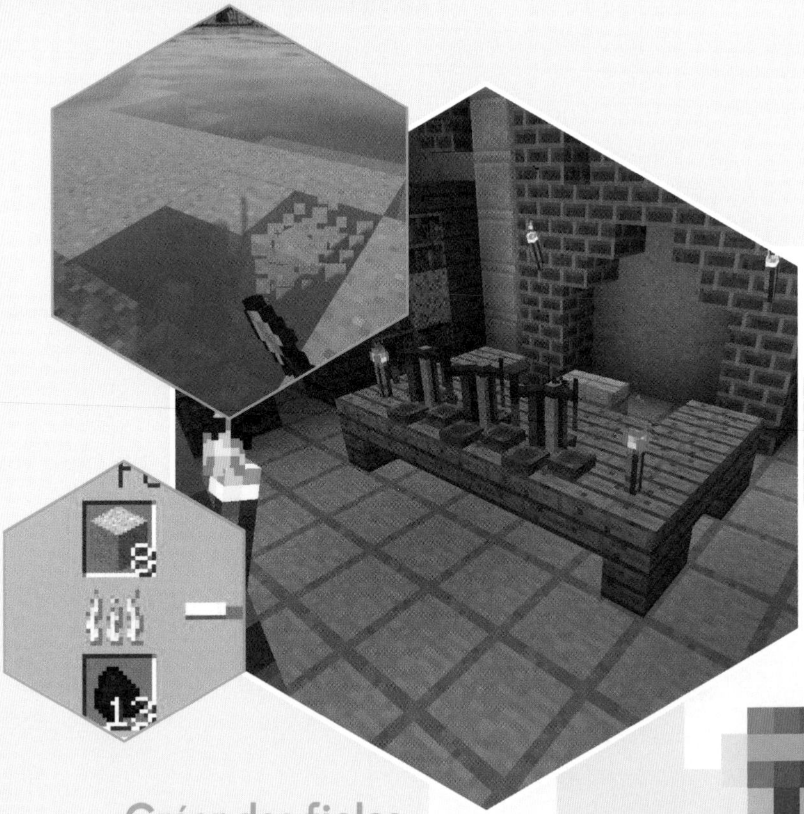

Créer des fioles

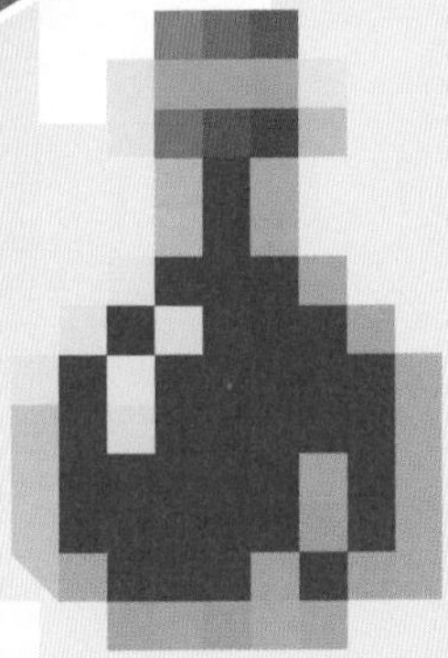

Pour créer des potions, il faut bien évidemment des fioles. Ces dernières se fabriquent simplement avec du verre. Le verre s'obtient en plaçant du sable dans un fourneau. La sorcière (que l'on rencontre dans les marais), peut lâcher jusqu'à 6 fioles, lorsqu'elle est vaincue. Il est dans tous les cas bien plus rapide de créer ses fioles en récupérant du sable que de partir à la chasse à la sorcière. En revanche, la sorcière peut parfois lâcher des ingrédients utiles à la création de potions.

C'est canon !

La poudre à canon est un ingrédient indispensable pour pouvoir fabriquer tes potions jetables. Tu peux en récupérer en éliminant les creepers, les sorcières et les ghasts (qui vivent dans le Nether).

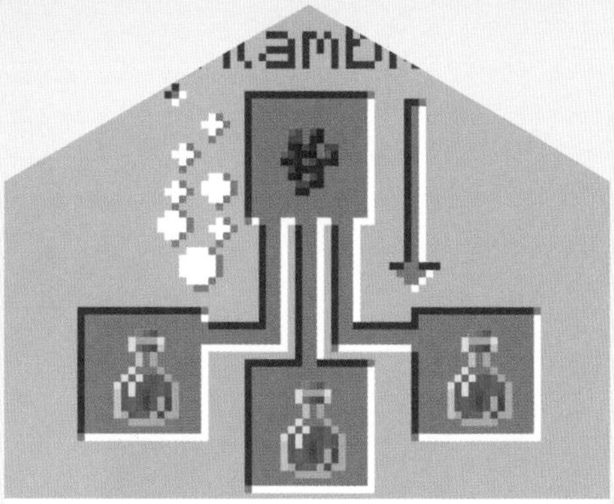

Potion malsaine

Pour créer cette potion, il faut remplir les fioles d'eau, puis les placer dans l'alambic, et enfin ajouter une verrue du Nether. La potion malsaine est également appelée "potion étrange" sur de nombreux sites Internet (ou "awkward potion" en anglais). La verrue du Nether se récupère dans les forteresses du Nether.

Modificateurs

Pour les alchimistes, il existe plusieurs ingrédients principaux qui servent à modifier les effets de tes potions (puissance, durée d'effet, transformation d'une potion malsaine en potion jetable). Ces modificateurs s'utilisent une fois la potion créée.

Potion banale

La potion banale sert uniquement à la création de la potion de faiblesse. Utilise plutôt le sucre comme ingrédient pour préparer ce type de potion. Le sucre se cultive et est une ressource moins rare qu'une larme de ghast, par exemple.

Seau de lait

Le lait s'utilise lorsque tu souhaites neutraliser les effets nocifs d'une potion. Si tu croises une sorcière et qu'elle t'empoisonne, ou si tu as goûté l'une de tes potions empoisonnées, bois ton seau de lait, et les effets de potions seront annulés (les bons comme les mauvais).

Plein les yeux !

L'œil d'araignée fermenté, qui permet la création de potions de faiblesse, est utilisé également pour modifier l'effet de potion de rapidité en potion de lenteur, ou change la potion de vision nocturne en potion d'invisibilité.

Les carottes

Les carottes servent dans la préparation de certaines potions. Il existe deux moyens de récupérer tes premières carottes. Le premier consiste à explorer l'univers et découvrir un village de PNJ. Si le village est bien développé, il est fort probable que tu puisses récupérer des carottes directement dans la plantation du village. Le deuxième moyen nécessite un peu de chance : les zombies peuvent en lâcher.

Poudre lumineuse

En alchimie, cette poudre permet d'augmenter la puissance de la plupart des potions (au détriment de la durée qui sera souvent plus courte). Elle peut également annuler les effets de la poudre de redstone. Tu peux la récupérer dans le Nether : elle est souvent située en hauteur.

Patte de lapin

Avec une carotte ou du pissenlit, il est possible d'attirer des lapins. Les chances de récupérer une patte de lapin sont faibles, il convient donc d'en faire l'élevage. Construis un enclos assez grand afin qu'ils ne puissent pas s'échapper.

Culture de carottes

Pour cultiver tes carottes, il faut labourer tes blocs de terre et planter les carottes. Pense également à irriguer tes plantations en plaçant de l'eau à proximité de tes blocs. Pour labourer un bloc de terre, il faut utiliser la houe. Lors de la récolte, tu récupéreras 2 à 4 carottes. Replantes-en la moitié afin d'avoir toujours un bon stock de carottes à disposition.

Crème de magma

La crème de magma te sert pour concocter la potion de résistance au feu. Pour en fabriquer, il faut réunir deux éléments qui ne se trouvent pas naturellement dans l'univers de Minecraft : une boule de slime et de la poudre de feu. Il faut donc partir à la chasse au slime et au blaze pour récupérer ces deux éléments.

Sans pépins

La pastèque est un fruit qui apparaît naturellement dans les biomes jungle. Il est utilisé dans la confection des potions de santé instantanée. Avant d'en faire la culture, vous allez devoir voyager. La jungle est un biome qui se reconnaît facilement à ses arbres de très haute taille et ses lianes.

Sucré pas salé

Il existe deux méthodes pour récupérer du sucre. La première consiste à trouver et vaincre des sorcières. La deuxième méthode, un peu plus sûre, est de trouver un ou plusieurs plants de canne à sucre et d'en faire la culture à proximité de ton abri. Le sucre est utilisé pour fabriquer les potions banales.

Poisson-globe

L'unique moyen de récupérer cet ingrédient est de te confectionner une canne à pêche et de trouver un point d'eau. Pour augmenter tes chances d'attraper un poisson-globe, il est conseillé d'appliquer sur la canne l'enchantement "appât" (cela diminue le temps d'attente entre chaque prise).

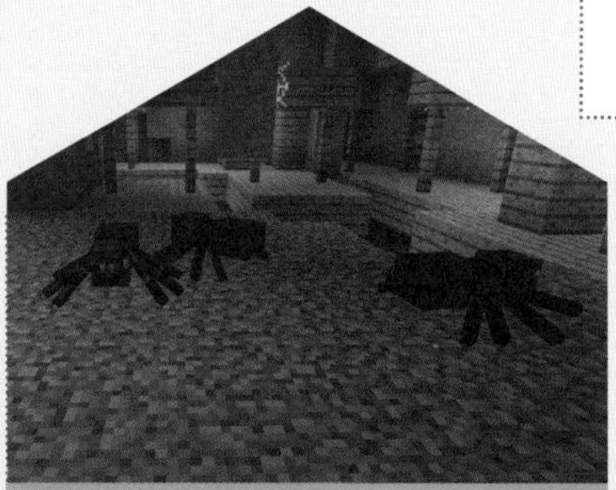

Œil d'araignée

Cet ingrédient s'obtient en combattant des araignées, des araignées bleues (que l'on rencontre dans les mines abandonnées) et des sorcières. Ces dernières peuvent lâcher jusqu'à 6 yeux d'araignées lorsqu'elles sont vaincues.

Poudre de feu

La poudre de feu peut s'utiliser seule dans une potion. Pour en récupérer, il faut trouver des blazes et des bâtons de blaze, qui peuvent donner 2 poudres de feu. Cet ingrédient, plongé dans une fiole d'eau, donnera une potion banale.

Vision nocturne

La potion de vision nocturne modifie ta vision et te permet de voir dans l'obscurité totale. Cette potion est également très utile lors de l'exploration du temple sous-marin. En insérant une carotte dorée dans la potion malsaine, tu obtiens une potion dont la durée est de 3 minutes. La poudre de redstone porte la durée à 8 minutes.

Larme de ghast

Cet ingrédient peut servir pour créer une potion banale (la base pour créer les potions de faiblesse) ou un autre type de potion, si l'ingrédient est placé dans une potion malsaine. Pour le récupérer, il faut affronter les ghasts que l'on rencontre dans le Nether.

Invisible

La potion d'invisibilité rend ton personnage invisible. Attention cependant, les armures ou les objets portés à la main restent visibles. Pour la créer, il faut placer un œil d'araignée fermenté dans la potion de vision nocturne.

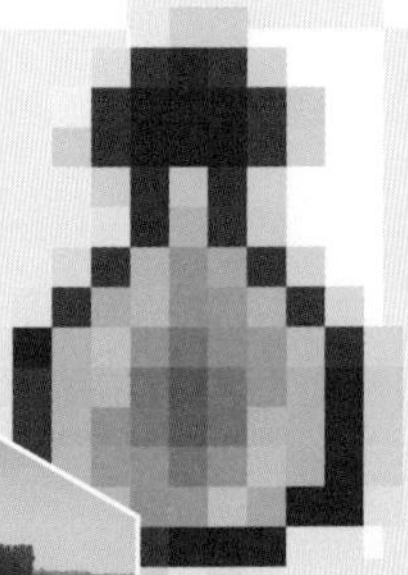

Potion de saut

Cette potion peut être très utile pendant l'exploration du Nether et également en joueurs contre joueurs. Place simplement une patte de lapin dans une potion malsaine pour obtenir la potion de saut. La durée de l'effet de cette potion est de 3 minutes. En ajoutant de la poudre lumineuse, tu pourras augmenter la capacité de saut. La potion devient alors une potion de saut améliorée.

Résistant au feu

Cette potion très puissante te permet de résister au feu. Tu ne subiras aucun dégât en marchant sur de la lave. Les boules de feu des monstres comme le blaze ou le ghast n'auront pour effet que de te chatouiller. La durée de l'effet de cette potion est de 3 minutes. En utilisant la poudre de redstone, tu peux allonger la durée de l'effet à 8 minutes. La poudre à canon permet de transformer cette potion en potion volatile dont la durée de l'effet est de 2 minutes et 15 secondes.

Potion de santé

Cette potion te permet de récupérer de manière immédiate 2 cœurs (soit l'équivalent de 4 points de vie). Contrairement à la plupart des potions, celle-ci ne possède pas de durée d'effet. Pour la fabriquer, plonge une pastèque scintillante (une pastèque fabriquée à l'aide de 7 pépites d'or) dans ta potion malsaine. À l'aide de la poudre lumineuse, tu peux augmenter l'efficacité du mélange et créer une potion de santé instantanée de niveau 2. Elle te fera gagner 4 cœurs (soit 8 points de vie). La poudre à canon te permet de transformer cette potion en potion volatile. Jetée sur un zombie, elle lui enlèvera 2 ou 4 cœurs, selon la puissance de la potion. Tu peux aussi la transformer en potion persistante et la jeter au sol pour soigner tes amis et blesser les zombies.

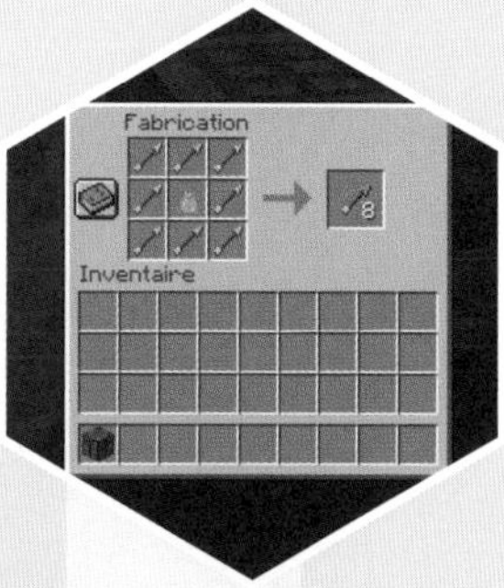

Flèches magiques

Il est possible d'utiliser une potion persistante pour enchanter des flèches. Sur un établi, place ta potion persistante au centre, puis 8 flèches autour. Tu récupèreras ainsi 8 flèches qui possèderont l'effet de la potion persistante.

Sécurité

Lorsque tu entames le processus de création des potions malsaines, place 3 fioles d'eau et une verrue du Nether dans l'alambic. Tu obtiendras ainsi 3 potions malsaines en utilisant une seule verrue du Nether. Il est plus sage de toujours remplir l'alambic au maximum et de récupérer le plus de potions possible.

Souffle de dragon

Le souffle de l'Enderdragon peut se récupérer à l'aide de fioles vides. Ces fioles seront ensuite utilisées pour la confection des potions persistantes. Jetée au sol, une potion persistante peut impacter plusieurs monstres ou joueurs s'ils rentrent dans la zone.

LE NETHER

Voyager dans le Nether est la première étape importante de tout explorateur dans Minecraft. Ces astuces te permettront de te promener dans cet univers hostile et brûlant en toute sécurité… ou presque !

Portail du Nether

Lorsque tu as assez d'obsidienne, note les coordonnées de ton abri à la surface, puis fabriques un portail du Nether. Utilise un briquet pour l'activer et entre à l'intérieur. Ensuite, note tes coordonnées dans le Nether. Lorsqu'un portail est créé, il te téléporte aux mêmes coordonnées mais divisées par 8. Pour fabriquer le portail, tu dois impérativement récupérer au moins 10 blocs d'obsidienne (2 placés au sol, 3 sur les côtés et 2 autres en hauteur). Ces blocs n'existent pas à l'état naturel. Il faut verser de l'eau sur de la lave pour transformer un bloc de lave en obsidienne.

En sécurité

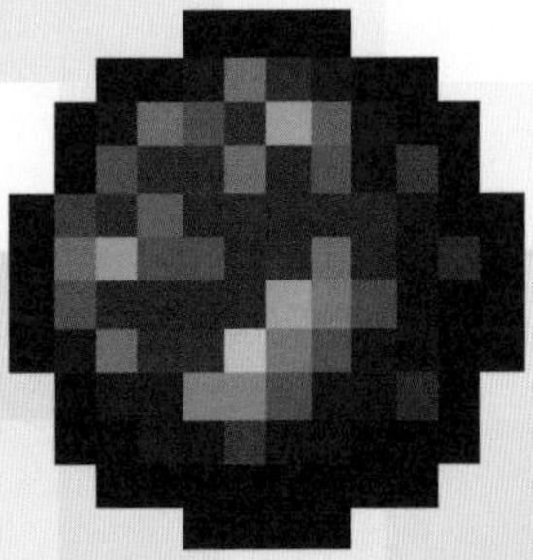

Lorsque tu pénètres dans le Nether, emporte des pierres ou d'autres matériaux de construction avec toi, afin de bâtir un abri. Il est important d'utiliser un autre matériau que le bloc de Nether, car ce dernier se détruit lorsqu'un ghast envoie sa boule de feu. Et dans le Nether, tu rencontreras très souvent ces monstres. Munis-toi de torches et de pierres pour marquer les endroits que tu explores. La pierre grise a l'avantage de se distinguer facilement et de loin.

Verrue du Nether

La verrue du Nether est essentielle pour les alchimistes. Tu trouveras cette plante dans la forteresse du Nether (souvent derrière les escaliers qu'on peut y trouver). Il est donc important d'en avoir toujours à profusion, afin de pouvoir créer des potions. Tu peux la replanter sur du sable des âmes.

Explorer la forteresse

Dans le Nether, l'un des objectifs prioritaires est de localiser une forteresse. Tu y trouveras les blazes, ces créatures qui lâchent le bâton de blaze, indispensable pour créer un alambic et transformer une perle de l'Ender en œil. Pas question de s'y promener sans une bonne protection (bouclier et armure).

Chemin balisé

On peut se perdre très facilement dans le Nether. N'hésite pas à créer des structures assez hautes et place tes torches également en hauteur pour mieux te repérer. Prends le temps de bien baliser ta route pour retrouver ta route.

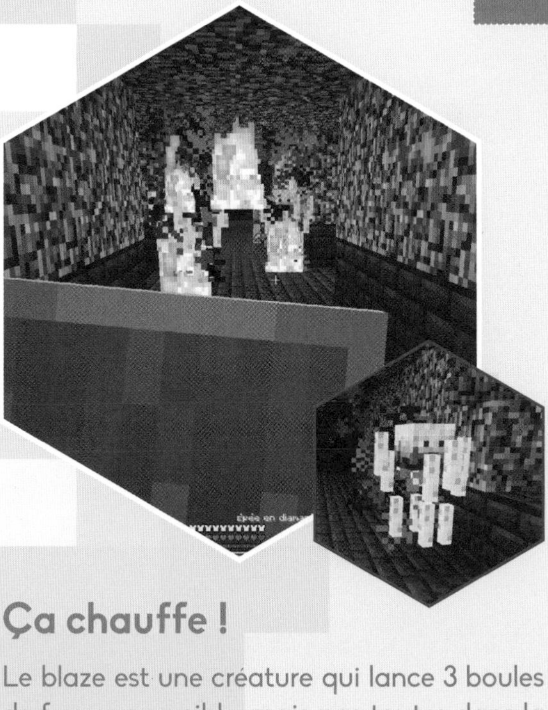

Ça chauffe !

Le blaze est une créature qui lance 3 boules de feu vers sa cible, mais pas toutes dans la même direction. Le meilleur moyen pour le combattre est d'utiliser le bouclier lorsqu'il s'apprête à tirer. Lorsque c'est le cas, le blaze commence à fumer puis s'enflamme.

À l'aise blaze

En explorant une forteresse, il est probable que tu découvres des générateurs de blazes. Il s'agit de cages d'où sortent régulièrement ces créatures. Ne les détruis pas, ces cages sont une garantie de récupérer régulièrement des bâtons de blaze.

Sable des âmes

Le sable des âmes possède deux propriétés. Il ralentit les déplacements et il permet de cultiver des verrues du Nether qui ne poussent que là. Lorsque tu en trouves, ramasses-en afin de pouvoir faire pousser les verrues directement dans ton abri.

Lit explosif

Ne t'endors jamais dans un lit posé dans le Nether. Ce dernier exploserait… et toi avec ! En revanche, si le portail du Nether est éloigné de ton abri, tu peux toujours poser un lit à côté du portail avant de rentrer dans le Nether.

De l'eau dans le Nether

Si tu places un chaudron dans le Nether et que tu le remplis d'eau, cette dernière ne s'évaporera pas. Le chaudron est le seul moyen de récupérer de l'eau dans le Nether, ce qui peut être utile si tu prends des dégâts de feu (et en combattant les blaze, cela arrivera certainement souvent).

À travers le portail

En utilisant un wagonnet, tu peux passer à travers un portail du Nether sans pour autant être téléporté. Si tu envoies le wagonnet seul, ou avec une créature dedans, il se téléportera vers le Nether. Tu peux donc faire voyager des créatures entre les deux mondes.

Plein d'expérience

Lorsque tu mines des blocs de quartz dans le Nether, tu récupères plus rapidement de l'expérience. Un bon moyen si tu manques de niveau pour préparer tes enchantements… à condition d'être assez bien équipé pour survivre dans le Nether (c'est-à-dire, plusieurs pièces d'équipement en fer, un bouclier, une épée et un arc avec plusieurs dizaines de flèches : ça peut aider).

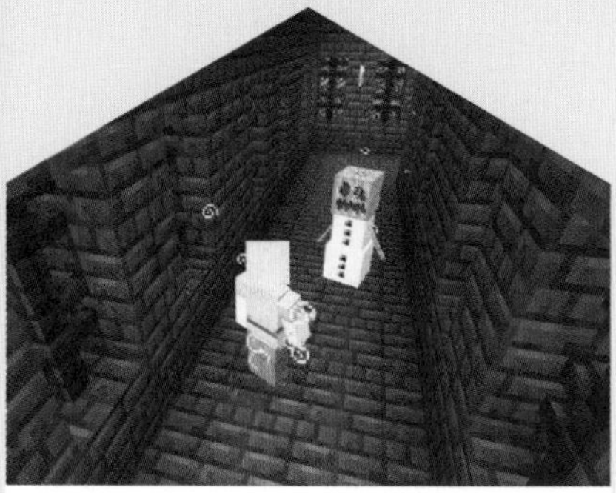

Golem dans le Nether

Un golem de neige peut survivre dans le désert, la jungle ou le Nether, à condition de lui jeter une potion de résistance au feu. Ceci ne dure que pendant le temps d'action de la potion. La potion de résistance au feu la plus longue dure 6 minutes.

Téléportation

Le Nether est un monde 8 fois plus petit que celui de la surface de Minecraft. Lorsque tu avances de 8 blocs dans le Nether, cela équivaut à marcher 64 blocs dans le monde de Minecraft. D'où l'intérêt de créer des portails pour voyager plus loin.

Ralentisseur

Le sable des âmes, que l'on trouve dans la forteresse du Nether, a tendance à ralentir tes déplacements. Si tu places des blocs de glace sous le sable des âmes, tu seras encore plus ralenti. Une astuce qui peut être utilisée pour ralentir des monstres en mode survie.

Voyage voyage

À l'aide d'une laisse, tu peux emmener des animaux à travers un portail du Nether (ça leur fera visiter du pays). En revenant dans l'univers de Minecraft, tu pourras récupérer une laisse au sol. Tout type d'animal peut passer par le portail. Alors si tu es poursuivi par des cochons-zombies, sois prudent !

Au feu !

Le Netherrack est le bloc qui compose la plus grande partie du Nether. Ce bloc possède la particularité de rester enflammé. Certains projectiles peuvent aussi le détruire. Si tu es bloqué par les flammes dans le Nether, frappe la base du bloc de feu pour l'éteindre.

Touristes

Malgré un aspect effrayant, les cochons-zombies ne sont pas des monstres agressifs. Ces curieux ont souvent tendance à passer à travers le portail. Ne sois donc pas étonné d'en croiser à la surface de Minecraft une fois que tu as créé un portail du Nether.

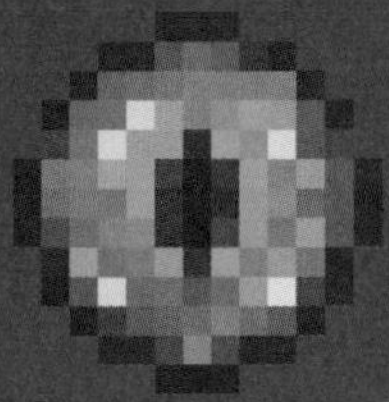

L'ENDER

Lorsque tu rentres dans le monde de l'Ender, il n'y a pas de retour possible tant que l'Enderdragon est vivant ! Alors il faut y aller bien protégé, et amener un stock d'armes, d'armures et de quoi résister jusqu'à la fin du combat.

Accès à l'Ender

Pour pouvoir entrer dans l'Ender et affronter l'Enderdragon, il faut activer le portail de l'End. Ce portail est constitué de 12 blocs, chacun pouvant contenir un œil de l'Ender. Lorsque le portail est orné de 12 yeux, il s'active. Attention, si tu plonges dedans, il est impossible de revenir en arrière (à moins de mourir). Avant de faire quoi que ce soit, mieux vaut organiser un campement autour de ce portail (avec des coffres contenant des protections, potions, armes, etc.), ainsi qu'un lit. Un générateur de poissons d'argent se trouve présent dans cette pièce. Il est plus prudent de le détruire.

Pomme dorée

La pomme dorée est indispensable pendant le combat contre l'Enderdragon. Lorsque tu en croques une, tu gagnes 4 points de vie supplémentaires pendant 2 minutes, ainsi qu'un court effet de régénération. Depuis la version 1.9, il est impossible de crafter la pomme dorée enchantée. Tu peux en trouver dans des coffres de donjons, pyramides ou wagonnets mais elles sont rares (moins de 3% de chances). Sers-toi de l'or pour fabriquer un maximum de ces pommes plutôt que de fabriquer des armes avec, ce sera beaucoup plus utile.

Lancer d'œuf

Les œufs peuvent servir à désactiver les cristaux qui régénèrent les points de vie de l'Enderdragon. En plus de tes flèches et boules de neige, prends-en avec toi, cela sera utile. Utilise ces projectiles pour désactiver les cristaux et garde tes flèches contre l'Enderdragon.

Six trouilles !

Il est probable que de nombreux Endermen se trouvent autour du dragon. Tu peux en éliminer quelques-uns pour éviter d'avoir affaire à eux pendant le combat. Attention, en mode difficile, si tu frappes un Enderman, ce dernier répliquera même si tu es muni du casque citrouille. Ne joue pas au plus malin avec eux !

L'ascension

Tu peux tenter d'escalader les piliers afin de casser les grilles de fer qui protègent certains cristaux. Les échelles peuvent être utiles. Cependant, lors de l'escalade, mange une pomme dorée. Si tu devait chuter, tu aurais plus de chances de survivre.

Get up ! Stand up !

Emporte avec toi des blocs de construction (pierre ou terre), afin de créer un escalier devant un pilier. Cette méthode est moins périlleuse que d'empiler les blocs les uns sur les autres. Si tu joues à plusieurs, certains pourront occuper le dragon pendant ce temps.

Un vrai boss

L'Enderdragon possède 200 points de vie (100 cœurs). Autant dire que l'utilisation de potions pour l'affaiblir, ou augmenter tes dégâts, n'a rien de superflu, d'autant qu'en mode difficile, un coup de sa part fait 15 points de dégâts (7 cœurs et demi). Prépare un max de potions.

Un petit dopant

Ton armure, ainsi que les enchantements appliqués dessus, sont importants et peuvent te sauver la vie, mais absorber régulièrement des potions de régénération et de force va te permettre de blesser l'Enderdragon de manière bien plus importante.

Téléportation

Tu peux utiliser les perles de l'Ender pour te téléporter en haut des piliers. Si tu es bon viseur, c'est une méthode efficace. En combattant les Endermen présents dans la zone, tu pourras récupérer régulièrement ces perles. Attention, si la perle touche le cristal, ça va faire... BOUM !

L'attaque du dragon

Le boss de l'Ender vole à proximité des piliers avant de filer vers sa cible. Le coup qu'il donne avec sa tête a de fortes chances de t'éjecter en l'air, en plus de t'infliger des dégâts. Lorsque tu te tiens à moins de 20 blocs du portail central, le dragon utilise son souffle. Les particules violettes fonctionnent comme une potion persistante de dégâts.

Le combat final

Si les cristaux sont détruits, tu peux frapper l'Enderdragon à l'épée. Tu disposes de quelques secondes avant qu'il ne lance sa charge et se remette en vol, de quoi lui porter une dizaine de coups. Il est impensable d'essayer de vaincre l'Enderdragon sans détruire les cristaux avant...

Il manque pas d'souffle !

En utilisant une fiole vide sur les particules violettes soufflées par l'Enderdragon, tu récupères du souffle de dragon. C'est ce qui te permet de transformer une potion en potion persistante. Ces potions sont importantes, même pendant le combat contre l'Enderdragon. C'est pour cela qu'il peut être utile d'amener aussi un alambic dans l'Ender pour pouvoir enchanter des flèches.

C'est qui le boss ?

Lorsque tu auras vaincu l'Enderdragon, tu seras redirigé vers ton dernier point de spawn. Tu peux retourner dans l'End quand tu le souhaites. Ce sera alors l'occasion de rejoindre la cité de l'Ender, dernière zone d'exploration avant de récupérer les élytres.

Sans risque

Si tu joues en mode "paisible", l'Enderdragon sera bien présent quand tu entreras dans l'End mais il sera tout aussi inoffensif qu'un petit lapin. Tu peux alors t'entraîner à escalader les tours et tuer l'Enderdragon pour accéder à la cité de l'Ender.

Recréer un cristal

Tu peux tout à fait recréer un cristal de l'Ender. Il te faut pour cela simplement du verre (7 blocs), un œil de l'Ender et une larme de ghast. Pose tout cela sur l'établi, et tu peux fabriquer un nouveau cristal de l'Ender. Pratique pour invoquer un nouvel Enderdragon !

Enderdragon le retour !

Tu peux invoquer un nouvel Enderdragon en fabriquant 4 cristaux de l'Ender et en les posant sur les piliers que tu trouves à côté du portail de sortie, lorsque l'Enderdragon est mort. Poser les cristaux va réactiver les autres situés en haut des tours. Ensuite, un Enderdragon va apparaître.

Ça fait mal !

L'explosion d'un cristal de l'Ender provoque autant de dégâts qu'une explosion de creeper chargé par la foudre. Elle est aussi 50% plus puissante qu'une explosion de TNT. Alors, mieux vaut les détruire à distance, ou placer un bloc d'obsidienne avant l'explosion.

Combat de boss

L'Enderdragon ne s'attaque qu'aux joueurs. Mais s'il blesse accidentellement un autre monstre, ce dernier peut essayer de l'attaquer. Essaye d'invoquer un wither dans l'Ender. Avec un peu de chance, il pourrait t'aider à vaincre l'Enderdragon. Mais il faudrait le tuer après !

LA CITÉ DE L'ENDER

Explorer la cité de l'Ender, c'est un peu l'aboutissement de ta carrière d'explorateur. Pour ne pas t'y perdre et revenir avec la paire d'élytres, voici les conseils à retenir. Avec ça, tu devrais pouvoir t'orienter presque les yeux fermés.

Vers la cité de l'Ender

Pour pouvoir rejoindre la cité de l'Ender, il faut tout d'abord avoir vaincu l'Enderdragon. À sa mort, le portail de la cité de l'Ender s'active. En général, il est situé en hauteur. Il faut donc créer une structure pour pouvoir le rejoindre. Lorsque tu es devant, tu te rendras compte que tu ne peux pas passer dans le portail. Il faut pour cela avoir une perle de l'Ender. Jette-la à l'intérieur du portail et tu seras directement téléporté dans ce nouveau monde. C'est en explorant la cité de l'Ender que tu trouveras les élytres, qui te permettent ensuite de planer. Un objet génial pour explorer de grandes distances.

Ne pas se perdre

La première fois que tu entres dans la cité de l'Ender, appuie sur F3 et note les coordonnées du portail afin de pouvoir le retrouver lors de tes explorations. Si tu joues sur console, fabrique une structure que tu pourras repérer facilement (utilise des torches). Le portail étant situé en hauteur, crée une sorte d'escalier pour pouvoir le rejoindre. N'hésite pas à construire encore plus haut, afin de pouvoir repérer de loin le portail lorsque tu vas te mettre à la recherche du navire de l'Ender.

Mon trésor

Dans la cité de l'Ender, tu trouveras des tours reliées entre elles par des ponts. Ces structures abritent des shulkers ainsi que des coffres où tu trouveras des lingots d'or, des diamants et, de manière plus rare, des pièces d'armures enchantées en diamant. De quoi te motiver pour explorer !

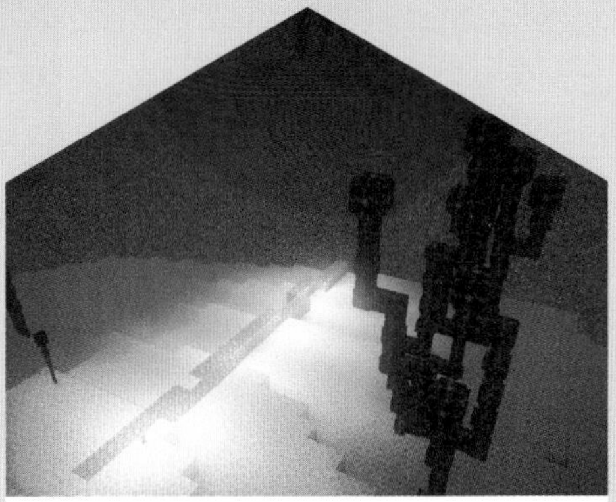

Le petit poucet

Comme dans le Nether, il est utile de tracer au sol un chemin afin de retrouver facilement votre route. Emporte avec toi des pierres en quantité ainsi que des torches. Tu peux par exemple poser un double coffre non loin du portail et y stocker en masse des matériaux de construction, afin de ne jamais être à court.

Oh mon bâteau !

Le principal objectif, dans la cité de l'Ender, est de localiser le navire. C'est dans cette structure que tu trouveras les élytres. Si tu joues à plusieurs, tu vas devoir te mettre en quête d'autres navires afin de trouver plusieurs élytres.

Ça plane

L'élytre est un mot qui vient du grec et qui désigne une aile durcie dont certains insectes sont munis. Cet objet se place à l'endroit où tu portes un plastron et te permet de planer. Il ne peut être détruit et se répare à l'aide de cuir (et d'une enclume).

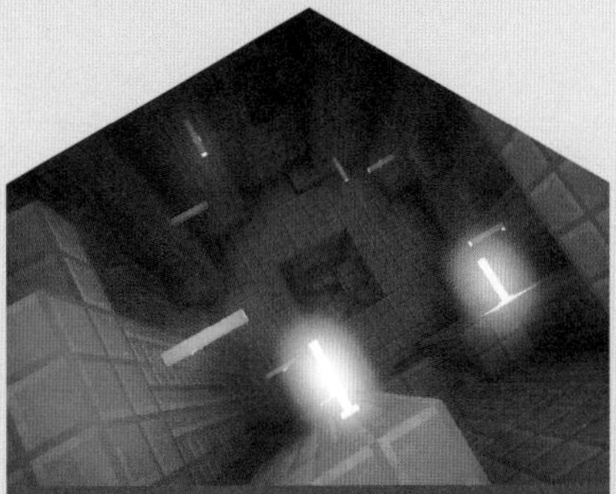

L'ascenseur

Dans les structures de type tour, de nombreux shulkers vont te lancer des missiles. Tu peux en profiter pour "rusher" l'ascension de la tour en utilisant l'effet de lévitation et rejoindre les plateformes supérieures. Attention tout de même, un faux pas et la chute sera rude !

La plante de chorus

La plante de chorus pousse dans la cité de l'Ender, sur la pierre de l'End. Tu peux tout à fait en faire la culture à la surface, en ramenant la pierre et la plante. Lorsque tu casses la plante à la base, toutes les branches s'effondrent et tu récoltes plusieurs fruits de chorus.

Fruit magique

Lorsque tu brises une plante de chorus, tu peux récupérer son fruit. Si tu le manges, il te rend 2 points de faim et te téléporte. Lorsque tu es sous l'effet de lévitation d'un shulker et que tu montes un peu trop haut, manger le fruit annule la lévitation et te téléporte sur la terre.

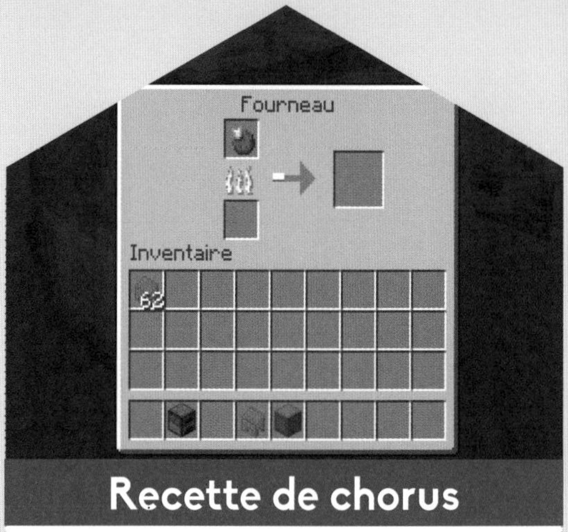

Recette de chorus

Il est possible de placer le fruit de chorus dans un four. Dans ce cas, tu obtiens un chorus éclaté. Le fruit n'est alors plus comestible mais tu peux t'en servir pour créer une barre de l'End, avec un bâton de blaze, ou créer un bloc pourpre en associant 4 chorus éclatés. De quoi t'amuser à faire de jolies structures décoratives pour ton intérieur.

La boîte de shulker

Lorsque tu élimines un shulker, ce dernier lâche des fragments de carapace qui servent à créer une boîte de shulker. La particularité de ce coffre (d'une contenance de 27 objets) est que tu peux le placer dans ton inventaire en gardant l'ensemble des objets qui y sont.

Toujours plus haut

La fleur de chorus a tendance à pousser au sommet de la plante de chorus. Lorsqu'elle devient plus sombre, cela signifie qu'elle est arrivée à maturité. Tu peux alors la récolter pour en replanter d'autres. Tant que la fleur n'est pas arrivée à maturité, la plante tente de pousser vers le haut, ou sur les côtés si elle ne peut croître en hauteur. Une plante va donner plusieurs branches et fleurs.

Mon précieux

Le navire de l'Ender n'est pas juste intéressant à visiter pour y récupérer les élytres. Les coffres à l'intérieur sont souvent remplis d'armures en diamant parfois enchantées). Sur la proue du navire, tu peux aussi trouver une tête de dragon. Super classe pour la déco !

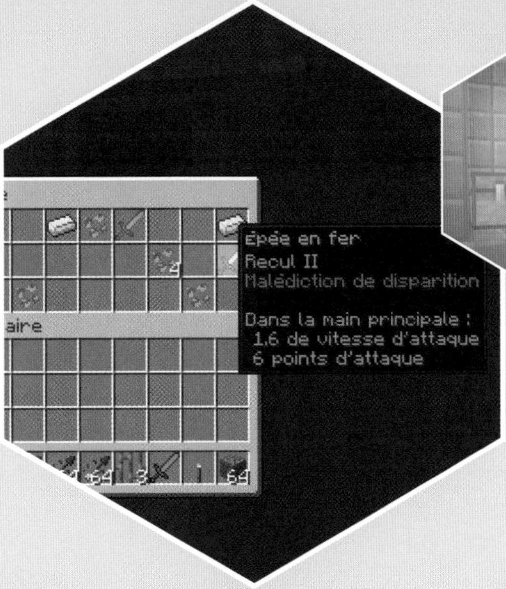

Pas de chance

Lorsque tu explores les navires de l'Ender, il est possible que certains des objets situés dans les coffres soient maudits (malédiction de disparition ou malédiction du lien éternel). Méfie-toi avant d'enfiler une nouvelle armure !

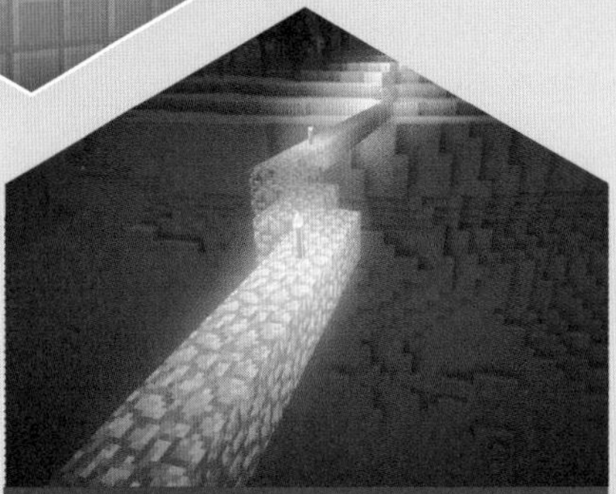

Prudence

Tu devras souvent construire des ponts entre deux îles de la cité de l'Ender. Pour ne pas tomber accidentellement, laisse enfoncée la touche shift pendant que tu es en train de poser tes blocs. Mieux vaut être prudent quand tu explores cette zone.

Chemin du retour

Il est impossible d'activer un portail du Nether lorsque tu es dans la cité de l'Ender. Pour revenir dans l'univers d'origine, tu dois passer par le portail et y jeter une perle de l'Ender. Ainsi, tu peux revenir dans la salle du dragon et passer par le portail qui apparaît une fois le dragon vaincu rentrer chez toi.

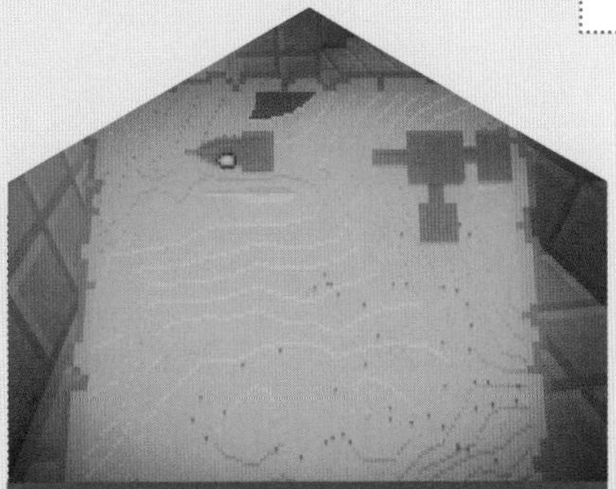

Cartographie

Tu peux utiliser une carte vierge pour cartographier la cité de l'Ender. Cela ne te dispense pas de créer des structures avec de la pierre et des torches, afin de pouvoir les repérer de loin. Cela te permettra aussi d'avoir un joli souvenir à afficher dans ton abri !

Coffre de l'Ender

Si tu as de la chance, il se pourrait bien que tu puisses ramener un coffre de l'Ender pendant ton exploration de la cité de l'Ender. Munis-toi d'une pioche avec l'enchantement "toucher de soie" pour pouvoir la récupérer sans risque.

LA DÉCORATION

Avoir une belle maison, c'est bien, mais savoir la décorer et donner du cachet à l'extérieur ou à l'intérieur, c'est ce qui fera toute la différence. Voici quelques astuces de décorations pour que tu te sentes bien dans ta maison Minecraft !

Lit double

Tu peux fabriquer un très joli lit double avec un bloc de béton en poudre coloré. Ce bloc est soumis à la gravité, il faut donc utiliser une astuce pour le faire sortir légèrement du sol. Creuse sous l'emplacement du lit et place des barrières. Lorsque tu vas poser les blocs du lit, ils vont tomber, mais seront bloqués par la barrière. Tu peux ensuite utiliser de la neige pour créer les coussins. Tu peux aussi t'amuser à créer un lit avec plusieurs blocs de couleurs différentes. Une astuce simple et efficace.

Ça marche !

En plaçant des bâtons de l'Ender entre tes blocs, tu peux créer un escalier lumineux. Il est également possible de placer ces bâtons sur des pistons, et ainsi, d'activer un escalier uniquement lorsque tu le décides. Ces bâtons sont parfaits pour de nouvelles idées déco ! Seulement, n'oublie pas, pour les récupérer, il va falloir que tu ailles affronter l'Enderdragon, puis que tu explores la cité de l'Ender. Tout un programme !

Fauteuil

Utilise deux escaliers, placés l'un en face de l'autre. Laisse un espace entre les deux pour placer une barrière et sur cette barrière, une plaque de pression. Sur les côtés des escaliers, place un panneau. Tu peux également utiliser un cadre qui possède l'avantage de pouvoir être décoré.

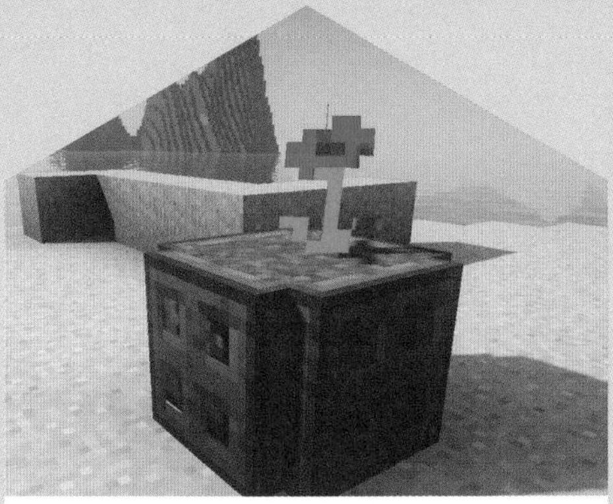

Un pot de fleur

Décorer l'intérieur de sa maison, c'est important, mais l'extérieur est aussi la première chose que les visiteurs remarquent. Voici comment placer des pots de fleurs devant tes fenêtres. Place un bloc de terre au sol et positionne des trappes en bois en haut du bloc. Ensuite, ferme ces trappes et enfin pose une fleur.

Canapé

Utilise des escaliers pour créer des canapés d'angles ou droits. Comme pour les fauteuils, tu peux utiliser des cadres ou des panneaux sur les côtés ainsi que des dalles pour créer une table basse.

Lits superposés

Place tout d'abord deux blocs au sol, puis pose ton premier lit dessus. Ensuite, détruis les blocs placés au début et pose le second lit sous le premier. Sur les côtés, utilise deux portes pour habiller l'ensemble et tu as tes deux lits superposés !

Un joli réfrigérateur

Utilise deux blocs de fer et place une porte en fer devant. En plaçant un bouton ou un levier sur le côté, tu peux commander l'ouverture de ton joli petit frigo. Tu n'as plus qu'à préparer des petits plats à mettre au frais !

Ordinateur

Pose 3 blocs face à un mur. Sur ce mur, tu vas placer un tableau. En face du tableau, pose une plaque de pression. Enfin, en face de tes blocs, utilise un escalier que tu habilleras sur les côtés à l'aide de cadres ou de panneaux, selon ta préférence.

Petit salon

Creuse un trou afin d'y placer des escaliers ainsi que de la roche du Nether. Autour de ce qui deviendra un foyer, pose tes canapés à l'aide d'escaliers (habillés de panneaux ou de cadres) sur les côtés. Et allume la roche du Nether pour mettre l'ambiance. Attention à ne pas mettre le feu ailleurs.

Horloge ancienne

Utilise des planches pour créer ton horloge. Sur le bloc du haut, pose un cadre avec une montre à l'intérieur. Place une barrière en fer sous ce bloc pour créer le pendule. Ensuite, pose un autre cadre sur le bloc sous la barrière en fer avec un bloc de fer ou d'or dans un cadre. Tu peux habiller l'ensemble avec des portes ou le laisser apparent.

Plafond relief

En utilisant des chaudrons, il est tout à fait possible de créer un effet de relief sur tes plafonds. Ce genre de design fonctionne plutôt bien sur des pièces de taille moyenne. Évidemment, en mode survie, cela va te demander beaucoup de ressources en fer.

Cuisine équipée

En utilisant plusieurs fours, de la laine, des blocs de pierre ainsi que des trappes en fer, tu vas pouvoir te fabriquer une superbe cuisine équipée. La taille ici est de 4 x 4 blocs. Utilise des dalles en pierre et des escaliers pour donner du relief à la hotte. Laisse un trou dans le centre de la hotte pour renforcer le réalisme. Aménage un espace pour placer une trappe en bois et accéder à l'intérieur de ta cuisine.

Chandelier

En utilisant deux pistons et deux blocs de redstone, tu peux créer un petit système pour enfoncer un porte-armure dans d'autres types de blocs. Par exemple, en poussant un porte-armure dans une barrière et en plaçant autour d'autres barrières, ainsi que quelques torches, tu peux fabriquer un chandelier qui sera du plus bel effet dans ton luxueux manoir ! Essaye d'enfoncer le porte-armure dans d'autres blocs pour voir l'effet que cela peut donner.

Une statue

Avec quelques blocs, tu vas pouvoir créer une statue impressionnante devant ta maison ! Tu vas te servir de la tête de l'Enderdragon (que tu récupères lorsque tu l'as vaincu une première fois). Pose au sol des escaliers en pierre et un bloc de pierre au milieu pour le pédestal. Pose ensuite une enclume et sur cette enclume, place un chaudron (en utilisant maj-clic), puis une enclume sur le chaudron latéralement pour créer le torse de la statue. Des deux côtés de l'enclume, place deux blocs l'un en dessous de l'autre. Ensuite, détruis les deux blocs situés à la hauteur de l'enclume et pose deux entonnoirs à la place. Sous l'entonnoir, pose des barrières en pierre pour faire les bras et les mains. Fais partir une barrière en bois depuis la barrière en pierre pour créer la lance, et enfin, pose la tête au-dessus de l'enclume.

Piano

Avec quelques blocs de couleurs unies et quelques dalles, tu peux fabriquer un très joli piano. Utilise les capteurs solaires pour faire le clavier. Et n'oublie pas d'utiliser des barrières pour fabriquer les pieds de ton instrument de musique.

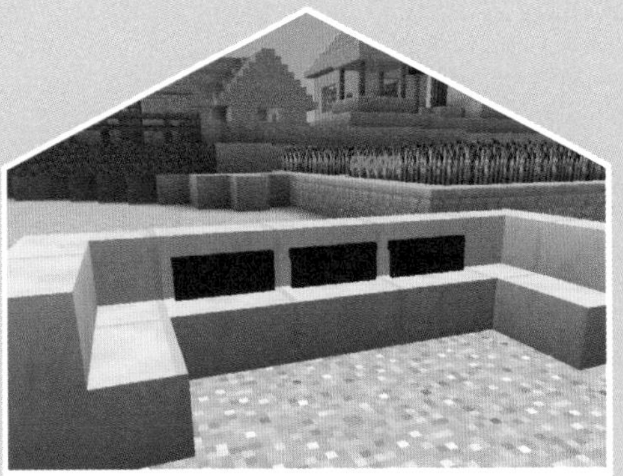

Canapé design

Tu veux fabriquer un canapé avec des petits coussins ? Rien de plus simple : utilise des escaliers en bois (ou en blocs de couleur) pour créer la forme du canapé. Ensuite, creuse sous le canapé et place des bannières. Le haut du drapeau créera l'illusion.

Sculpture wither

Une petite sculpture de wither pour décorer ton jardin te plairait ? Utilise un entonnoir et pose une enclume dessus. Ensuite, place deux autres entonnoirs sur les côtés et pose les têtes de wither squelette que tu peux trouver dans l'onglet décoratif en mode créatif. Plus efficace qu'un épouvantail !

LES MONSTRES

Le monde de Minecraft n'est pas sans danger. Certaines créatures n'apparaissent que la nuit, d'autres dans certains biomes. Voici ce qu'il faut savoir sur les monstres qui peuplent ton univers préféré.

Creeper

Le creeper est devenu le monstre le plus célèbre du monde des jeux vidéo. L'anecdote veut que cette créature soit née d'une erreur dans la programmation du cochon. Il a été conservé et depuis, c'est de loin la bestiole que les joueurs de Minecraft craignent le plus. Il avance relativement sans bruit et émet un sifflement lorsqu'il est à proximité d'un joueur, avant d'exploser et de créer des dégâts considérables. S'il est tué par les flèches d'un squelette, le creeper lâche un disque de musique.

Squelette

Tout comme le creeper, le squelette fait partie des monstres redoutés par les joueurs débutants. Il repère les joueurs d'assez loin et décoche des flèches à intervalles réguliers. Dans un premier temps, la meilleure défense est de fabriquer un bouclier. Il permet de te protéger et si le squelette est proche de toi, le bouclier peut lui renvoyer la flèche et le blesser avec sa propre arme. Dans la forteresse du Nether, les squelettes qui apparaissent sont des wither squelettes qui peuvent lâcher des crânes pour invoquer le wither.

Slime

Ce bloc gélatineux se rencontre rarement. Tu peux tomber nez à nez avec dans les marais et également dans des grottes, si elles sont assez grandes. Ces créatures se divisent en slimes plus petits et peuvent lâcher des boules de slimes, utilisées dans la confection des laisses et des pistons collants.

Cube de magma

Cousin du slime, le cube de magma ne se rencontre que dans le Nether. Il possède un comportement similaire à celui du slime. Si tu arrives à vaincre un cube de magma, tu pourras récupérer la crème de magma, utilisée dans la confection de certaines potions. Conserve-la précieusement.

Araignée

Il existe deux sortes d'araignées dans Minecraft. Celles que l'on rencontre à la surface, et d'autres que tu peux croiser dans les mines abandonnées. Dès que la luminosité devient faible, une araignée devient agressive. Elle attaque en te sautant dessus.

Ghast

Ce monstre n'apparaît que dans le Nether. Il ressemble à un sorte de gros fantôme qui flotte et lance des boules de feu qui peuvent lui être renvoyées en frappant au bon moment. Le ghast peut lâcher des larmes de ghast à sa mort, qui sont utiles en alchimie.

Blaze

Ce monstre de feu apparaît dans le Nether. Tu le trouveras souvent dans les forteresses du Nether, le lieu que tout alchimiste débutant recherche pour récupérer des verrues du Nether. Le blaze peut lâcher un bâton de blaze à sa mort. Ce bâton sert à créer l'alambic.

Vagabond

Le vagabond est un squelette qui n'apparaît que dans les biomes glacés (plaine de glace, montagne gelée). Ses flèches sont imprégnées d'un effet qui te ralentissent. Lorsqu'il est vaincu, le vagabond peut également lâcher une flèche avec effet de lenteur.

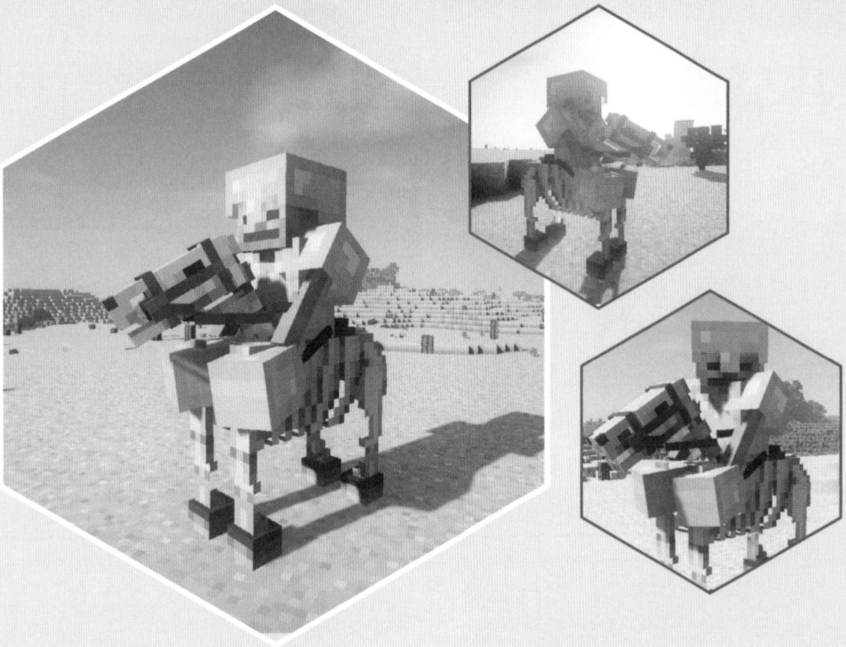

Cavalier squelette

Un à plusieurs cavaliers squelettes peuvent apparaîtrent lors d'un orage. Selon le niveau de difficulté, la chance qu'ils apparaissent est plus importante. Ces cavaliers sont souvent équipés d'un casque qui les protègent du soleil, ainsi que d'un arc enchanté.

Shulker

Le shulker est une créature que tu peux rencontrer dans la cité de l'Ender. Il ressemble à un bloc pourpre, mais peut te lancer des missiles qui vont appliquer un effet de lévitation pendant quelques secondes. Quand l'effet de lévitation prend fin, tu vas retomber au sol et probablement te blesser.

Zombie

Les zombies apparaissent la nuit. Ils sont souvent assez nombreux. Lorsque les zombies apparaissent à proximité d'un village, ils vont en priorité attaquer les villageois. Il faut alors les défendre avant que les villageois attaqués se transforment en zombies, eux aussi.

Villageois zombie

Le villageois zombie est souvent un villageois qui a été infecté lors d'une une attaque de zombies. Il est possible de guérir un villageois zombie en lui donnant une pomme dorée et en jetant dessus une potion jetable de faiblesse. Comme l'antidote met quelques minutes avant de faire effet, il faut en général empêcher le villageois de s'exposer au soleil (il pourrait en mourir).

Sorcière

La sorcière attaque sa cible en lançant une potion de lenteur, de faiblesse et une potion de poison. C'est pourquoi il est important d'avoir un seau de lait pour annuler les effets de potion en cas de confrontation avec une sorcière.

Zombie momifié

Cette créature se croise principalement dans le désert. Contrairement aux autres zombies, celui-ci n'est pas sensible au soleil et ne subit pas de dégâts de brûlure. Quand il frappe un joueur, il lui réduit sa barre de faim en plus des dégâts.

Gardien

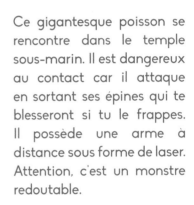

Ce gigantesque poisson se rencontre dans le temple sous-marin. Il est dangereux au contact car il attaque en sortant ses épines qui te blesseront si tu le frappes. Il possède une arme à distance sous forme de laser. Attention, c'est un monstre redoutable.

Ancien gardien

L'ancien gardien ressemble au gardien, mais possède beaucoup plus de points de vie. En plus de son attaque au laser (qu'on ne peut éviter qu'en se plaçant derrière un bloc), les joueurs à 50 blocs de distance subissent l'effet fatigue de minage, qui empêche de détruire des blocs rapidement.

Cochon-zombie

Ces monstres du Nether ne sont pas aggressifs envers toi, sauf si tu en attaques un. Attention, un seul cochon-zombie attaqué peut alerter les autres dans un rayon maximum de 110 blocs. Un cochon frappé par la foudre peut devenir un cochon-zombie.

Enderman

Ce grand monstre apparaît souvent la nuit. Il n'est pas agressif, sauf si tu le regardes dans les yeux. Tu peux les observer sans risques en portant une citrouille en guise de casque. L'enderman peut lâcher des perles de l'Ender lorsqu'il est vaincu.

Évocateur

L'évocateur est un illageois un peu sorcier. Il est capable d'invoquer des monstres qui traversent les murs (les Vexx). Il utilise une attaque à distance (mâchoire d'invocation) qui fait apparaître 16 mâchoires sur une ligne. Si des moutons à laine bleue se trouvent à moins de 16 blocs de lui, il peut aussi lancer un sort pour changer la laine en rouge.

Vindicateur

Ce monstre est un illageois qui vit dans le manoir. Il protège l'évocateur contre les intrus. Armé de sa hache, il est agressif envers les joueurs mais aussi les villageois. Selon le niveau de difficulté, sa hache peut être enchantée. Il y a un nombre limité de vindicateurs dans chaque monde.

Vexx

Ces monstres sont invoqués par l'évocateur. Ils ressemblent à de petits fantômes, armés d'une épée. Ils viennent t'agresser, peuvent passer à travers la plupart des blocs et finissent par disparaître au bout d'un certain temps. S'ils touchent un cactus, ils subiront des dégâts.

Endermite

Cette petite créature se rencontre assez rarement. En effet, elle a 5% de chances d'apparaître après l'utilisation d'une perle de l'Ender. De plus, elle disparaît au bout de quelques minutes. Sa petite taille la rend discrète et pas facile à toucher si elle t'agresse. Tu peux la repérer aux particules violettes qui l'entourent. S'il y a un Enderman à proximité d'une endermite, il tentera de la tuer.

Wither

Le wither est une créature particulière. On ne la rencontre pas par hasard : il faut l'invoquer en utilisant du sable des âmes et des crânes de wither squelettes (les squelettes que tu affrontes dans la forteresse du Nether). Place le sable des âmes en T, puis les crânes de squelettes au-dessus. Une fois invoqué, le wither s'attaque à tout le monde sauf les monstres zombies. Il est très puissant, alors ne l'invoque pas juste pour rire, ni à proximité de ton abri !

Enderdragon

Le boss de l'End vole à proximité des piliers avant de filer vers sa cible. Le coup qu'il donne avec sa tête a de fortes chances de t'éjecter en l'air, en plus de t'infliger des dégâts. Lorsque tu te tiens à 20 blocs ou moins du portail central, le dragon utilise son souffle pour protéger la zone. Les particules violettes fonctionnent comme une potion persistante de dégâts. En utilisant une fiole vide sur ces particules, tu récupères du souffle de dragon. C'est ce qui te permettra de transformer une potion en potion persistante. Lorsque le dragon a fait quelques tours à proximité des tours où se trouvent les cristaux, il a tendance à se poser près du portail. Pendant ce temps, il est insensible aux tirs de flèches. Si les cristaux sont détruits, tu peux le frapper à l'épée. Tu disposes de quelques secondes avant qu'il ne lance sa charge et se remette en vol.

Poisson d'argent

Ce monstre vit dans une pierre, souvent à proximité de la forteresse qui abrite le portail de l'End. En creusant la pierre, le monstre en sort et attaque. S'il n'est pas tué tout de suite, il appellera d'autres poissons d'argent à proximité.

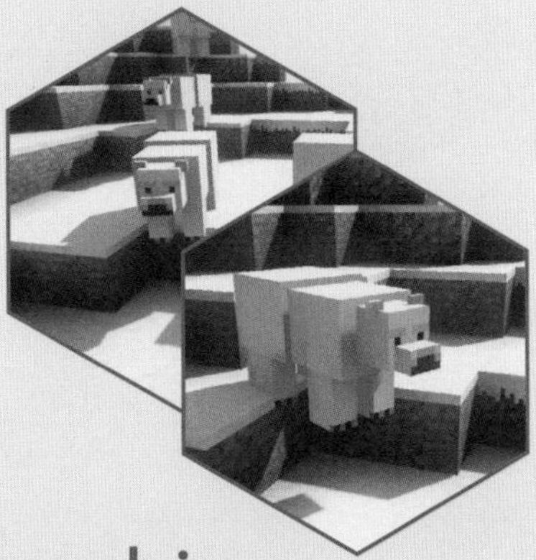

Ours polaire

D'apparence inoffensive, il faut tout de même te méfier des ours. Si un petit est à proximité, l'ours adulte t'attaquera pour le protéger. Comme tu peux t'en douter, on rencontre les ours dans les biomes enneigés (plaine de glace, montagnes).

Illusionniste

Cet illageois armé d'un arc est capable de lancer un sort lui permettant de créer des copies de lui-même. Lorsque ce monstre utilise ce sort d'illusion, il disparaît. Le seul moyen de dissiper le sort est de toucher le monstre invisible, qui se trouve toujours à proximité de ses copies.

L'AGRICULTURE

En mode survie, apprendre à cultiver des plantes et des légumes est important pour ne pas constamment devoir partir à la chasse. Voici ce qu'il te faut savoir pour ne jamais avoir faim, et préparer des réserves pour tes expéditions.

La satiété

Cette notion, invisible, détermine à quel moment ton personnage va commencer à perdre des points de sa barre de faim. Lorsque tu manges un aliment, tu gagnes un ou plusieurs points de faim et également des points de satiété. Lorsque ces derniers sont à zéro, ta barre de faim commence à descendre. Retiens juste qu'il est préférable de consommer un aliment cuit, pour éviter à ta barre de faim de descendre trop rapidement (un aliment cuit ajoute plus de points de satiété qu'un aliment cru). Comme pour la barre de faim, le niveau maximum de satiété est de 20.

Le pain, c'est bien

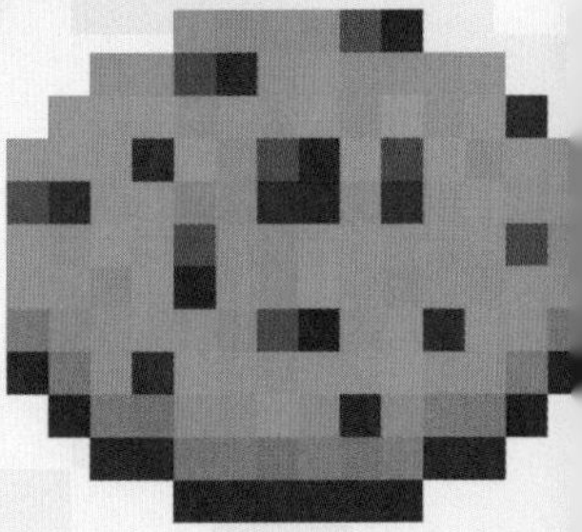

Lorsque tu démarres une partie de Minecraft, un des moyens les plus simples pour se nourrir est de récupérer des graines de blé. Il suffit pour cela de couper de l'herbe. Quelques minutes de désherbage suffisent pour récupérer de quoi planter pas mal de graines. Quand le blé a changé de couleur et est assez grand, tu peux le récolter. Tu vas également récupérer des graines que tu pourras replanter. Le blé te permet de fabriquer du pain. Pas besoin de four pour cela, et la valeur nutritive du pain est excellente.

Un bon rendement

Tu peux utiliser un bloc d'eau et placer des cultures tout autour. Un seul point d'eau permet d'hydrater 80 blocs : un rendement vraiment important. Pour permettre aux cultures de se développer la nuit, place au-dessus du point d'eau un bloc avec des torches.

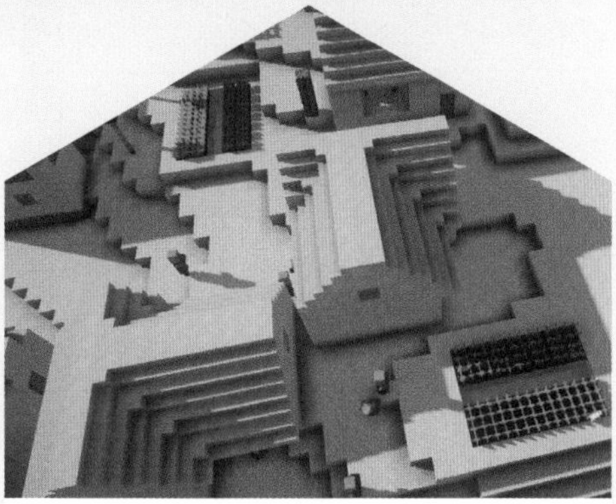

Betterave

La betterave est utilisée pour fabriquer de la soupe ou créer de la teinture. Pour en trouver, le plus simple est de se mettre à la recherche d'un village. On peut aussi en dénicher dans des coffres de donjons, et plus rarement en labourant la terre à l'aide d'une houe. Cette soupe est très nutritive.

Houe là là

Pour labourer la terre, il faut un outil adapté : la houe. Place un coffre à proximité de ton jardin et mets-y cet outil. Lorsque tu vas planter des graines, tu auras toujours à disposition de quoi travailler. Une terre labourée repasse en friche si elle n'est pas hydratée.

Bonne pomme

Les pommes peuvent être trouvées en élagant les feuilles de chêne et de chêne noir. En coupant le tronc de ces arbres, tu à une chance quand les feuilles disparaissent de voir tomber une pomme. Entouré de lingot d'or tu peux la transformer en pomme dorée.

Mr Patate

Lorsque tu tues un zombie, il existe un petit pourcentage de chance qu'il lâche une pomme de terre. Il est cependant plus fréquent de trouver des pommes de terre dans les villages. Elle peut être cuite au four et sert aussi d'ingrédient pour le ragoût de lapin.

Poudre d'os

La poudre d'os s'obtient en plaçant sur l'établi un os de squelette (ou un bloc d'os si tu en découvres pendant des séances de minage). Elle sert d'engrais pour accélérer la pousse des plantes et des arbres. Elle peut aussi servir de colorant.

Planter la verrue du Nether

Pour pouvoir cultiver la verrue du Nether à la surface, il faut que tu aies ramené du Nether du sable des âmes (ainsi que des verrues du Nether évidemment). La verrue n'a pas besoin de lumière ou d'eau. Attends qu'elles soient à maturité avant de les récupérer et d'en planter à nouveau.

Canne à sucre

La canne à sucre peut servir à fabriquer du papier, mais peut aussi être transformée en sucre. Pour pouvoir en faire la culture, il faut planter une canne à sucre sur du sable et à côté de blocs d'eau. Quand tu veux en récupérer, attends que la canne à sucre pousse d'au moins 3 blocs, et frappe le bloc du milieu pour en récupérer sans devoir replanter.

Un bon gâteau

Avec du blé, du sucre, du lait et un œuf, tu peux fabriquer un joli gâteau. Il ne peut pas être utilisé depuis l'inventaire. Pour pouvoir en manger, il faut le poser sur un bloc. Un gâteau est composé de 7 parts que tu peux partager avec d'autres joueurs.

Les carottes

Comme pour les pommes de terre, les carottes peuvent parfois être lâchées par des zombies. Mais tu les trouveras plus souvent dans les villages de PNJ. Tu peux les consommer telles quelles et aussi t'en servir dans la confection du ragoût de lapin. Accrochée à une canne à pêche, la carotte peut servir à diriger un cochon sur lequel tu as mis une selle. Les carottes servent souvent pour les alchimistes.

Champignon

Le champignon peut pousser sur n'importe quel type de bloc pour peu que la luminosité soit inférieure à 13. Si tu veux en faire la culture, assure-toi d'en planter dans un endroit petit (un bloc de hauteur), sinon des monstres pourraient apparaître dans ces zones sombres.

Mycélium

Ce bloc ne peut se trouver que dans les biomes champignons. Tu peux planter n'importe quel champignon dessus, il poussera, quelle que soit la luminosité. Il faut une pelle munie de l'enchantement toucher de soie pour pouvoir le récupérer.

Champimeuh

Le champimeuh est un animal rare que tu ne peux trouver que dans le biome champignon. Si tu le tonds, tu vas récupérer 5 champignons, mais le champimeuh se transformera en vache. Si tu utilises un bol en bois sur le champimeuh, tu récupères de la soupe.

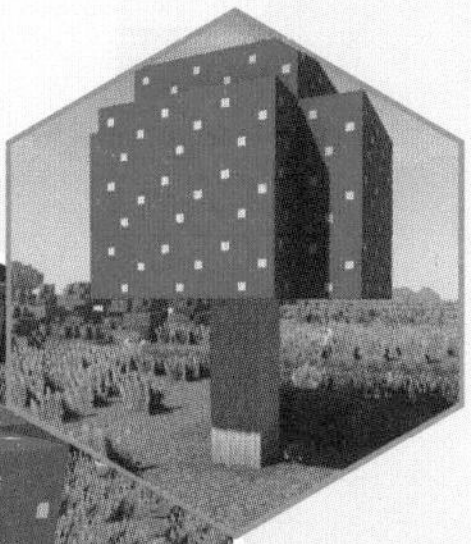

Champignon géant

Si tu plantes un champignon sur du mycélium et que tu utilises de la poudre d'os sur le champignon, tu pourras obtenir un champignon géant. Avec un champignon géant, tu auras des réserves importantes pour pouvoir faire de la soupe de champignon pour tous tes amis !

Pastèque et citrouille

La pastèque se trouve naturellement dans les biomes jungle, alors que les citrouilles peuvent se trouver un peu partout. Si tu places une tranche de pastèque ou une citrouille sur un établi, tu obtiendras des graines. Ces deux plantes prennent deux blocs pour pousser.

Cacao

La fève de cacao se trouve dans la jungle, sur les troncs d'acajous. Pour en faire la culture, place une fève sur un arbre et attends la maturité de la cabosse, qui donnera plusieurs fèves de cacao lorsque tu la récolteras. Après, à toi les bons cookies !

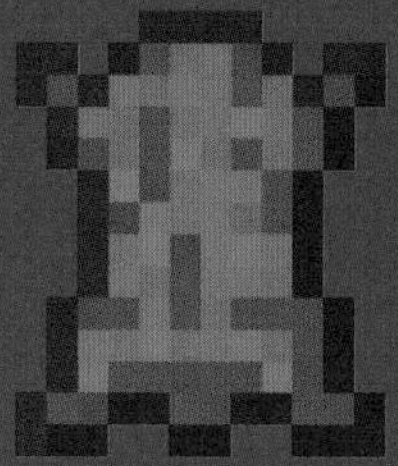

LA FAUNE

Dans Minecraft, l'élevage est un moyen de concentrer des ressources au même endroit (viande, laine, cuir). Voici ce qu'il faut savoir sur la faune que tu peux rencontrer en te promenant dans ton univers préféré.

Appâter

Pour commencer un élevage, il faut tout d'abord que tu saches avec quel type de nourriture appâter l'animal que tu veux attirer dans un enclos. Lorsque tu sélectionnes une graine ou un aliment susceptible d'attirer un animal, ce dernier tourne sa tête vers toi. En général, les animaux qui accepteront ta nourriture te suivront même partout, tant que tu tiendras en main l'objet de leur convoitise. La plupart n'accepte qu'un seul type d'aliment.

Les enclos

Tu peux décider de faire de l'élevage sans fabriquer d'enclos, mais tu risques de parfois devoir aller chercher tes animaux, qui auront tendance à aller se promener un peu partout. L'enclos permet de rassembler tout ce petit monde. N'hésite pas à l'agrandir au fur et à mesure. Si trop d'animaux sont placés dans un endroit trop petit (un enclos avec un espace d'un bloc, par exemple), ils pourraient subir des dégâts de suffocation. La terre de Minecraft est suffisament grande pour que tu offres assez d'espace aux bêtes que tu veux élever.

Oh la vache !

Pour attirer les vaches, utilise du blé (attention, pas les graines). En donnant du blé à deux vaches, elles se reproduiront. Les vaches permettent de récupérer du lait dans un seau vide. En les tuant, tu pourras récupérer de la viande crue et du cuir.

Ben mon cochon !

Il faut des carottes pour attirer les cochons et les faire s'accoupler entre eux. Si tu trouves une selle, tu pourras la placer sur le dos d'un cochon. En fabriquant une canne à pêche avec une carotte, tu pourras ensuite monter dessus et le diriger. Tuer un cochon te permet de récupérer des cotelettes de porc crues.

Poisson

Tu ne peux pas à proprement parler faire de l'élevage de poisson. En revanche, tu peux en pêcher autant que tu veux en te fabriquant une canne à pêche. Le poisson te permet d'amadouer l'ocelot. Tu peux pêcher du poisson dès que tu vois un bloc d'eau.

Mon petit lapin

Tu t'en doutes, pour attirer les lapins, il te faut des carottes. Sans carottes, le lapin n'est pas un animal facile à approcher. Il est plutôt méfiant. Tuer un lapin peut te rapporter de la viande crue et parfois de la peau de lapin, ou une patte de lapin (mais c'est rare).

Mouton

Le mouton est un animal recherché par les joueurs pour sa laine qui permet de fabriquer un lit. Tu peux récupérer de la laine en tondant le mouton avec les cisailles. En tuant un mouton, tu récupères de la laine et également de la viande.

Roule ma poule

Les poules sont recherchées pour leur viande mais également pour leurs œufs, qui s'avèrent des projectiles efficaces dans l'Ender (et qui permettent aussi de confectionner de très jolis gâteaux). Tu peux les attirer avec des graines de blé, de citrouilles et de pastèques.

Un âne pas si têtu

L'âne est assez rare à trouver dans Minecraft. Pour le dompter, il faut utiliser la même technique que pour le cheval. Il n'y a pas de différence notable entre le cheval et l'âne (si ce n'est son cri). Une fois que tu l'as dompté et que tu as mis une selle dessus, tu peux le diriger comme un cheval et contrairement à ce qu'on pourrait croire, il t'obéira toujours.

Armure pour cheval

Cet objet ne peut pas se fabriquer, mais avec un peu de chance, tu peux en trouver dans les coffres des pyramides, des temples ou des mines abandonnées. L'armure offre une protection supplémentaire utile quand tu joues en niveau difficile.

Mule

La mule ne peut apparaître qu'en croisant un cheval et un âne (ce qui nécessite d'avoir déjà trouvé et dompté un âne, ce qui peut être assez long). Tu peux utiliser des coffres pour transporter également des choses sur son dos (clic droit lorsque tu as le coffre en main).

Apprivoiser un cheval

Pour apprivoiser un cheval, il faut être mains nues et faire un clic droit sur l'animal. Tu vas alors monter dessus. Le cheval va te désarçonner plus ou moins rapidement selon son humeur. Une technique consiste à le nourrir avec du blé plusieurs fois, avant de monter dessus. Des petits coeurs vont apparaître quand il sera dompté ! En plus de la selle, tu peux aussi lui mettre une armure pour cheval.

Nourrir tes montures

L'âne, le cheval et la mule acceptent plusieurs types de nourriture. Le sucre, le blé, les pommes et le pain, mais également les carottes dorées, les pommes dorées et le bloc de paille. Ces derniers donnent plus de chances de les dompter et les soignent mieux.

Les lamas

Le lama est attiré avec du blé ou un bloc de paille. Pour l'apprivoiser, il faut être mains nues et monter dessus jusqu'à ce que de petits coeurs apparaissent. Pour le seller, il faut utiliser un tapis. Tu peux poser un coffre sur son dos en faisant un clic droit.

Les perroquets

Le perroquet peut être apprivoisé à l'aide de graines. Si tu fais un clic droit sur un perroquet apprivoisé lorsque tu ne portes pas d'objets, il se posera sur ton épaule. Attention, si tu donnes un cookie à un perroquet, il mourra instantanément. Il lâche des plumes à sa mort.

Les chats sauvages

L'ocelot est un animal difficile à apprivoiser. Il faut utiliser du poisson cru et être dans un endroit assez ouvert. Il ne faut quasiment pas bouger, ne pas pointer le curseur vers l'animal et le laisser venir vers le poisson. Lorsqu'il est proche, fais un clic droit sur lui. Si les petits cœurs apparaissent, l'ocelot deviendra chat.

Les loups

Le loup s'apprivoise avec des os de squelettes. Donne-lui-en quelques-uns et lorsque tu vois des coeurs, un collier de couleur apparaît alors. Si tu cliques dessus, le loup s'assied et reste à sa position sans te suivre. Sinon, il t'accompagne et te protège.

Gavé !

Lorsqu'un cheval n'accepte plus de nourriture, il émet un son particulier que tu reconnaîtras facilement (une sorte de grognement). Cela signifie qu'il n'a plus besoin de manger. Si tu cherches à le dompter, tu peux alors tenter de monter dessus.

LE COMBAT

Un équipement optimisé pour le combat assure une sécurité importante. Il n'est pas rare d'être attaqué sur plusieurs fronts en même temps. Aussi, il faut bien se protéger, et savoir quel type d'enchantement appliquer sur ses armes pour être efficace.

S'armer pour survivre

L'épée est une des armes à fabriquer en premier pour augmenter ses chances de survie en cas de confrontation. Tu pourrais évidemment frapper tes ennemis à mains nues ou avec un bloc dans les mains, mais le résultat serait le même : tu perdras du temps et tu risques de te retrouver avec plusieurs ennemis sur le dos en même temps. C'est précisément ce qu'il faut éviter pendant les combats. Plus vite tu tues tes ennemis, plus tu augmentes tes chances de survie.

En défense

Le bouclier permet d'absorber une partie des dégâts que les ennemis peuvent t'infliger. Il permet également de te protéger des boules de feu lancées par les blazes ou les ghasts dans le Nether. Lorsque tu prends un coup sur le bouclier, ta garde est baissée pendant un court instant. Pour le créer, il te faut 6 planches de bois et un lingot de fer. Comme pour les armes, le bouclier est sujet à l'usure. Tu peux le réparer avec des planches de bois (avec l'enclume) mais il est parfois moins coûteux d'en fabriquer un nouveau.

Puissance

Depuis la version 1.9 de Minecraft, une jauge de puissance se charge après un coup. Selon l'arme utilisée, cette jauge se recharge plus ou moins vite. Si tu tapes avant que la jauge ne soit pleine, le coup sera moins puissant. Sur les versions console, cette jauge n'existe pas. Tu peux la jouer bourrin !

Arc et épée

En plaçant un arc dans l'emplacement du bouclier, tu peux tirer des flèches, tout en utilisant une épée dans l'autre main. Une astuce pratique pour tirer à distance tout en vous protégeant de dangers proches. En revanche, placer l'épée dans l'emplacement du bouclier ne permet pas de s'en servir.

Viking

La hache en pierre, en fer ou en diamant possède une puissance d'attaque importante (9 points). Mais en situation de combat, il s'agit d'une arme lente. Si elle est en diamant, elle sera néanmoins plus rapide qu'une hache en fer ou en pierre.

Pousse-toi d'là !

Chaque joueur peut entrer en contact avec un autre joueur. Plutôt que de traverser le joueur, tu peux le pousser légèrement. Ce détail a son importance dans les séances de confrontation entre joueurs. Tu peux ainsi sprinter vers un adversaire et le bousculer.

Affichage

Dans les options "Video Settings", tu peux afficher une épée à droite de la barre de commande. Cela indique le niveau de charge du coup. Les dégâts infligés à la créature sont symbolisés par des cœurs rouge sombre, et un trait blanc indiquera que tu as porté un coup puissant.

Changer de main

En appuyant sur F, tu vas intervertir les objets placés en main gauche et main droite. Ce raccourci peut être utile si tu as besoin rapidement d'utiliser un objet qui ne s'active pas en main gauche. Tu peux changer le choix de la touche dans les options.

Lancer de potion

Ta main gauche n'est pas uniquement réservée au port d'un bouclier ! Tu peux placer une arme dans ta main droite, et une potion volatile ou persistante dans ta main gauche, et ainsi la lancer sur tes ennemis. Attention cependant, lorsque tu jettes la fiole, ta main se retrouve vide, même si tu as d'autres fioles dans ton inventaire.

Gare au missile

Lorsqu'un shulker te lance un missile, ce dernier disparaît quand il touche un élément de décor, une autre créature ou toi-même. Le missile est tout de même capable de te suivre très longtemps si tu es sur terrain découvert. Tu peux frapper le missile pour le détruire, et ce même à mains nues.

Retour à l'envoyeur

Lorsque tu portes un bouclier, si un joueur ou un squelette te lance des flèches, ces dernières vont rebondir sur le bouclier. Elles ne seront pas renvoyées très loin, mais elles peuvent blesser les créatures qui sont proches de toi.

Boire et combattre

De même que tu peux jeter une potion volatile ou persistante en plein combat, il t'est possible d'utiliser les potions classiques pour ton propre compte. Si tu possèdes un seau de lait, tu peux également l'utiliser pour annuler l'effet négatif d'une potion, dans le cas où un adversaire t'aurait touché à l'aide d'une potion de faiblesse, par exemple. Utiliser une potion pourrait te sauver la vie !

Enchanté !

L'enchantement des armes est très important à prendre en compte lorsque tu joues en mode survie au niveau difficile. Tu peux placer l'arme directement sur la table mais le mieux est de créer des livres et de les enchanter. Tu utiliseras l'enclume pour appliquer l'enchantement.

L'enclume

L'enclume permet d'appliquer des enchantements plus puissants, ou de cumuler d'autres enchantements sur une arme déjà enchantée. Placer une arme déjà enchantée sur la table d'enchantement ne permet pas de changer l'enchantement.

Bibliothèque

Placer des bibliothèques à proximité de la table d'enchantement permet d'augmenter le niveau de base de l'enchantement. Ensuite, tu utiliseras l'enclume et un livre enchanté pour augmenter (quand c'est possible) le niveau de l'enchantement.

Vive la lecture !

Pour augmenter le niveau d'enchantement d'un livre, il faut placer sur une enclume deux livres avec le même niveau d'enchantement (ou éventuellement un enchantement déjà plus puissant). Le résultat sera un nouveau livre avec un enchantement qui aura gagné un niveau de puissance.

Flèches infinies

Il existe des enchantements spécifiques pour les armes tranchantes et les arcs. Un enchantement très apprécié des joueurs pour les arcs est "infinité", qui permet de ne plus avoir besoin de fabriquer de flèches (une seule flèche suffit et tu peux en tirer autant que tu veux).

Solidité

L'enchantement "solidité" permet de ralentir l'usure de tes objets. Lorsque tu as une arme avec un enchantement qui te plaît, ajoute "solidité" pour que ton arme s'use moins vite. Si elle est en diamant, tu feras de sacrées économies !

Ça coûte quoi d'enchanter ?

Pour enchanter ton objet, cela va te coûter du lapis-lazuli (un minerai que tu trouves en profondeur) mais également des niveaux d'expérience. C'est pour cela qu'il faut aussi aller combattre régulièrement des monstres. Rien n'est gratuit dans Minecraft !

Robuste

Porter une armure réduit les dégâts subis lors des attaques contre les monstes. Les armures en diamant possèdent, en plus des autres, des points de robustesse qui augmentent encore plus la résistance. Une armure complète en diamant offre un bonus de 8 points de robustesse : l'idéal pour affonter les monstres les plus redoutables de Minecraft.

Plus de butin

Lorsque tu tues des monstres, l'enchantement "butin" permet d'augmenter tes chances d'avoir de meilleures récompenses ou en plus grand nombre. Tu peux l'augmenter jusqu'au niveau II et il ne peut s'appliquer que sur les épées. Un enchantement à placer dès que tu peux sur tes épées.

Frappe et recule

Les enchantements "frappe" et "recul" s'appliquent respectivement aux arcs et aux épées. Cela permet de faire reculer plus loin un ennemi qui est frappé avec l'arme. Tu peux l'augmenter jusqu'au niveau II. Ce genre d'enchantement est très apprécié des amateurs de PVP qui s'affrontent dans des arènes situées en hauteur, tu peux ainsi les pousser plus loin et les faire tomber.

Deux objets en un

L'enclume permet de combiner des objets enchantés et d'en récupérer un nouveau, qui conserve les enchantements de chaque objet. Tu peux aussi augmenter le niveau de tes enchantements (deux épées Tranchant III permettent d'obtenir une épée Tranchant IV).

Comme la réparation d'objets, cumuler des enchantements coûte des niveaux d'expérience. Pratique le recyclage, non ?

Et les armures ?

Le combat, ce n'est pas que l'attaque ! Il faut aussi penser à tes pièces d'armures, car tu peux aussi les enchanter. C'est même essentiel de le faire lorsque tu veux affronter les monstres les plus dangereux de Minecraft. Les enchantements "protection contre le feu" et "protection contre les explosions" te sauveront certainement la vie contre les blazes, les ghasts ou les creepers. Alors ne néglige jamais tes protections, ou tu le regretterais bien vite !

Prendre du recul

Cette astuce a été mise au point par Pikaman76. Le principe est simple : utiliser un enchantement particulier pour pouvoir utiliser la hache plus régulièrement en combat. Pour cela, tu dois te munir d'une épée avec un enchantement "recul" et d'une hache. Tu peux lancer le combat en frappant avec la hache, puis passer directement à l'épée pour frapper ta cible et la faire reculer de 5 blocs. Même si ton coup à l'épée n'est pas puissant et ne blesse quasiment pas la cible, l'effet de l'enchantement s'appliquera et fera reculer ton ennemi. Repasse ensuite à la hache, tu devrais avoir le temps de donner un autre coup à son maximum de puissance. Il faut un peu d'entraînement pour maîtriser cette technique mais elle est redoutable, même si ton adversaire est équipé d'un bouclier (tu pourrais l'endommager et l'obliger à changer de stratégie).

Le livre

Pour fabriquer un livre, il te faut simplement du cuir et 3 feuilles de papier. Deux choses relativement simples à trouver si tu cultives la canne à sucre et si tu as mis en place un élevage de vaches. Prépare-en toujours d'avance pour les enchanter.

Du tout cuit

L'enchantement "aura de feu" a un effet très pratique. Non seulement il enflamme la cible, mais si tu tues un animal avec, tu ramasses directement la viande… cuite ! Plus besoin de four et de charbon. La classe !

Même pas mal !

L'enchantement "chute amortie" ne peut s'appliquer que sur les bottes. Il permet de réduire les dégâts liés aux chutes. Il est possible d'améliorer l'enchantement jusqu'au niveau IV. N'hésite pas à mettre ce genre de bottes de côté et à les utiliser lorsque tu explores la cité de l'Ender, par exemple.

LE MULTIJOUEURS

Minecraft, c'est aussi un nombre incalculable de serveurs et de mini-jeux disponibles. Voici une sélection des plus célèbres et amusants que tu peux trouver. Tu en découvriras de nouveaux inspirés des plus grands noms du jeu vidéo (GTA, Overwatch, AoE, etc.).

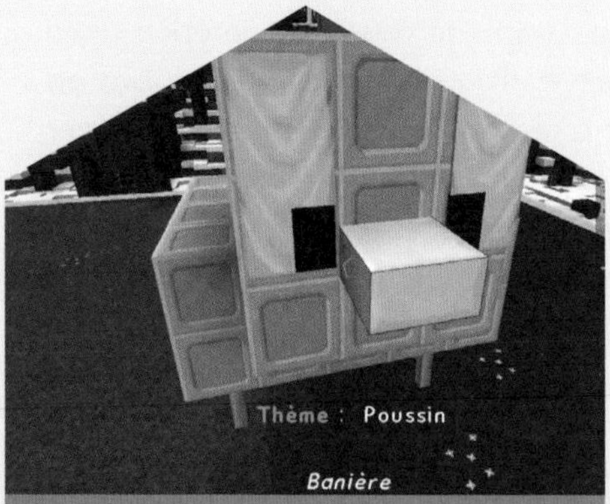

Building game

En anglais, "build" signifie "construire". Le building game est donc un type de jeux à plusieurs où chaque participant doit construire quelque chose en lien avec une thématique, dans un temps limité. Il existe plein de variantes de ce jeu. Par exemple, une des variantes est de nommer une étiquette, de la placer sur un animal (le mot sera affiché au-dessus de l'animal) et ensuite de donner l'animal à un autre joueur qui va devoir construire le mot ou la phrase affichée au-dessus de l'animal.

Bedwar

Le bedwar est un mode de jeu en équipe. 4 équipes de 3 joueurs s'affrontent dans une arène. Le but du jeu est de détruire un lit en obsidienne. Ce lit spécial permet aux joueurs de revenir en jeu en cas de mort. Pour pouvoir détruire le lit de chaque équipe adverse, il faut récupérer des ressources (fer, or, etc.) qui permettent d'acheter des armes spécifiques chez les marchands. Le centre de l'arène est souvent le théâtre des confrontations les plus musclées, car c'est là où se trouvent les ressources les plus rares.

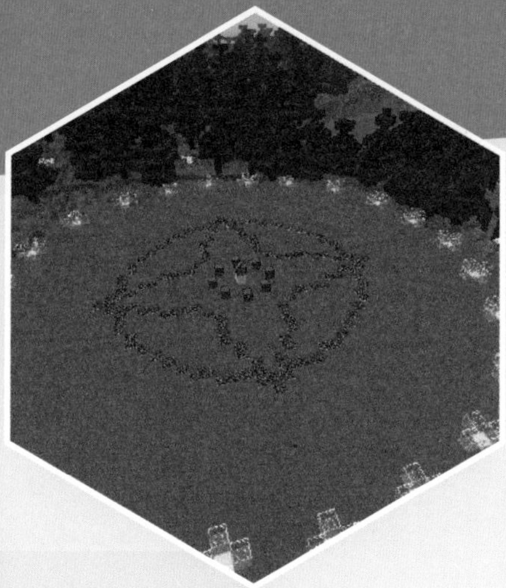

Hunger game

Le type de jeu Hunger game est inspiré des livres et des films. Chaque joueur est seul et doit être le dernier survivant pour gagner une partie. Il existe des variantes pour ce type de jeu. Il faut souvent trouver des coffres pour récupérer des objets plus puissants et pouvoir survivre plus longtemps.

Skywars

Le skywars est généralement composé d'îles flottantes où chaque joueur spawn en début de partie. Une île centrale attire toutes les convoitises car de nombreux coffres y sont placés, avec du stuff puissant. Le but du jeu est évidemment d'être le dernier survivant !

Parkour

Le parkour est un mini-jeu où tu vas devoir monter jusqu'au sommet d'une structure. Il s'agit d'une sorte de jeu de plateforme. Certains blocs peuvent te propulser plus haut que d'autres et la chute est souvent mortelle. Il faut de l'entraînement !

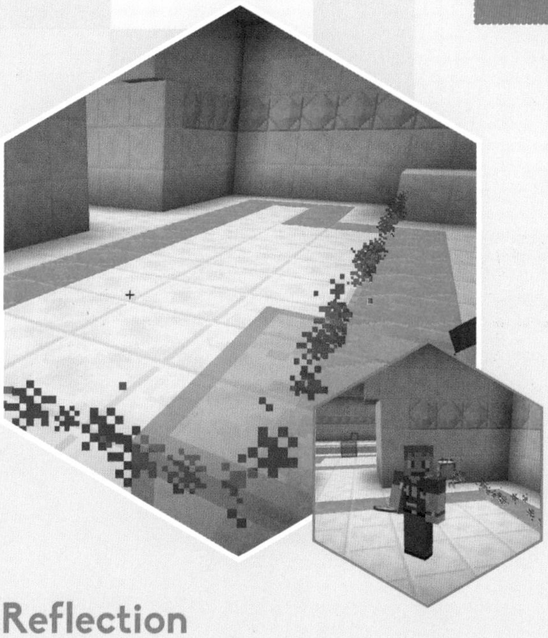

Reflection

Reflection est un type de carte où il faut placer des blocs pour dévier un rayon laser. Chaque salle propose une énigme et si tu guides correctement le rayon laser, tu ouvriras l'accès à une deuxième salle et ainsi de suite. Un type de jeu parfait pour se creuser la tête.

Ultra hardcore

Le mode UHC signifie Ultra Hardcore. C'est un mode de jeu où le joueur ne peut récupérer des points de vie que par des pommes dorées, des potions ou l'effet d'une balise. En France, ce mode de jeu a été popularisé par des séries Youtube comme Kill the Patrick et Taupe Gun.

UHC run

Il s'agit d'une variante du mini-jeu UHC. Les joueurs disposent de 20 min pour récupérer des ressources et s'armer, puis sont téléportés et s'affrontent pendant 10 min. Certaines ressources s'acquièrent plus rapidement (le gravier lâche des flèches et non du silex).

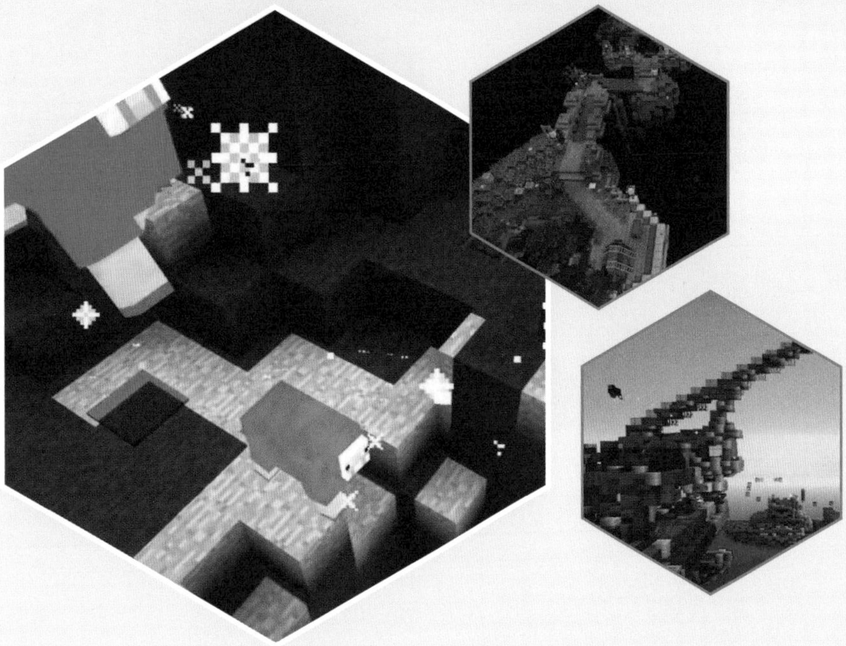

Sheep war

Ce mode de jeu permet à deux équipes de s'affronter sur une arène avec des arcs, des épées et... des moutons ! Le but du jeu est de tuer les autres joueurs, notamment en leur lançant des moutons différents. Par exemple, le mouton incendiaire provoque une grosse explosion.

Fallen kingdom

Le mini-jeu Fallen Kingdom voit 2 équipes s'affonter. Chacune doit trouver un moyen d'entrer dans la salle des coffres de l'adversaire et y rester pendant plus d'une minute. De nombreuses variantes ont fait évoluer ce style de jeu (pas de PVP avant 4 cycles jour-nuit, interdiction de crafter en dehors de leurs bases, etc.).

Age of empire

Inspiré par le jeu de stratégie Age of Empire, ce mode de jeu en reprend le concept : récupérer des ressources, faire évoluer des bâtiments stratégiques (forge, armurerie, marché, etc.). Pour gagner, il faut être la première équipe à atteindre 15 000 points.

Skyblock

Le mini-jeu Skyblock te fait apparaître sur une île flottante. Il faut utiliser les ressources de l'île pour survivre et accomplir des challenges (construire un lit, faire cuire 10 poissons, construire une maison, créer un petit lac, etc.). Ce mode de jeu existe depuis longtemps (il existe depuis la version 1.3 de Minecraft). Toujours populaire, Skyblock continue d'évoluer avec les nouvelles versions de jeu.

Roleplay

Il existe de nombreux serveurs appelés "roleplay" où tu vas pouvoir explorer des donjons, affronter des boss ainsi que des factions ennemies, incarnées par d'autres joueurs. Ce type de jeu, proche de l'esprit des MMORPG, propose souvent des décors magnifiques.

Turbo kart racer

Disponible sur le serveur Hypixel, Turbo kart racer est un jeu de kart. Tu vas affronter d'autres joueurs sur des circuits et tu peux récupérer des boosts sur ta route, un peu comme dans le célèbre Mario Kart.

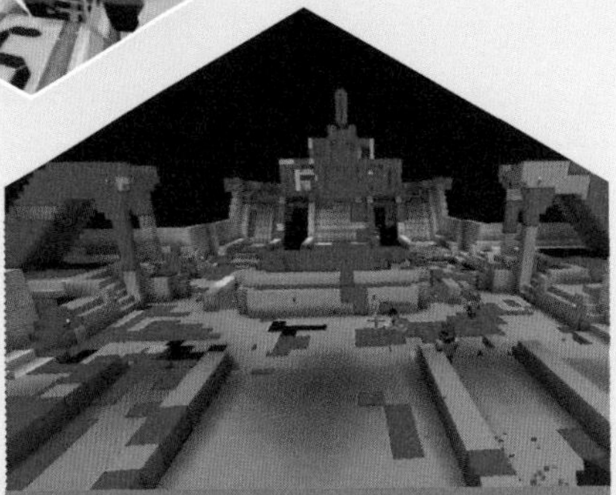

Splatcube

Inspiré par le jeu Splatoon, Splatcube est un jeu en équipe où tu dois peindre le plus de blocs possible tout en neutralisant tes adversaires. Tu peux trouver ce type de jeu sur le serveur de Fanta & Bob (Fantabobworld). Un mini-jeu très amusant et très coloré !

Le dé à coudre

Ce mode de jeu demande beaucoup d'adresse. Il faut sauter d'une plateforme très haute et viser l'eau. Plus tu avances, plus tu dois être précis car il faut tomber pile dans le bloc. Inutile de te dire ce qu'il se passe si tu ne vises pas bien ! Tu peux trouver ce mode de jeu en allant sur le serveur de Fanta & Bob .

Vampire Z

Ce mini-jeu te place dans la peau d'un vampire ou... d'une proie. Si tu es vampire, tu dois transformer les survivants en vampires pour t'aider. Si tu es survivant, il te faut juste survivre le plus longtemps possible ! Et non, il n'y a pas d'ail pour repousser les vampires !

Escape game

Il existe de nombreuses cartes où le but du jeu est de trouver comment ouvrir une porte et de passer d'une pièce à une autre. Il faut souvent placer un bouton ou un levier pour actionner un mécanisme redstone. Si tu aimes te creuser la tête, ce type de carte te plaira.

LE MINAGE

Tu vas sans doute passer pas mal de temps dans les sous-sols de Minecraft à la recherche de diamants. Voici quelques conseils pour miner en sécurité, et des astuces concernant des blocs qu'on ne trouve pas naturellement dans l'univers.

Ça creuse !

Minecraft, tu le sais, ce n'est pas qu'un monde à la surface. En creusant, tu vas découvrir un univers gigantesque, rempli de failles, de grottes, de mines abandonnées et de minerais de tout genre. L'outil que tu utiliseras certainement le plus est la pioche. Dès que tu as fabriqué ta première pioche en bois, mine de la pierre et fabrique une nouvelle pioche avec ce matériau. Tu rejoindras plus rapidement les couches du sous-sol où se trouvent les minerais les plus précieux !

Style de mineur

Chaque mineur a sa méthode de travail. La méthode "ligne droite" consiste simplement à creuser devant soi en descendant d'une couche à chaque marche. Creuse ainsi jusqu'à atteindre la couche 10, qui est celle où tu as le plus de probabilités de tomber sur des minerais type diamant, or et émeraude. Une fois cette couche atteinte, tu peux commencer à creuser tes galeries en ligne droite en espérant tomber rapidement sur plusieurs filons de minerais précieux.

En spirale

La méthode "spirale" permet de creuser en restant sous ton abri. Il suffit de creuser comme en ligne droite, mais en changeant de direction tous les 3 blocs. Là encore, descends jusqu'à la couche 10 avant de commencer tes galeries.

Méthode bourrin !

La méthode "TNT" nécessite un peu plus de matériel (un briquet pour allumer la mèche, de la poudre à canon et du sable pour fabriquer le bloc TNT). Elle est peu utilisée mais amusante. Un bloc de TNT explose l'équivalent de 3 x 3 x 3 blocs. À essayer pour le fun mais attention aux accidents !

Prudence

Avant de partir à la recherche de tes minerais, vérifie que tu possèdes des torches, deux ou trois pioches en fer, une épée en fer et de quoi manger. N'hésite pas à remonter à la surface dès que tu as pioché un nombre important de minerais précieux.

Mines abandonnées

Pendant tes séances de minage, il est probable que tu découvres des grottes naturelles, plus ou moins profondes et des mines abandonnées. Les mines permettent de récupérer des rails de chemin de fer, des wagonnets et des coffres avec du minerai.

Observe les détails

Lors de tes séances de minage, sois attentif aux sons. Tu peux entendre le bruit de la lave ou de l'eau. Si tu vois au-dessus de toi un bloc qui suinte, ne le détruis pas. Cela signifie que tu es juste en dessous d'un lac de lave ou d'eau. Et la lave sur la tête, ça pique une peu...

On s'y perd

Lorsque tu explores le sous-sol, choisis une règle pour planter tes torches. Ainsi, si tu plantes les torches sur les murs de gauche et que tu es perdu, suis les torches sur les murs de droite, pour remonter tes galeries dans le bon sens. Simple non ?

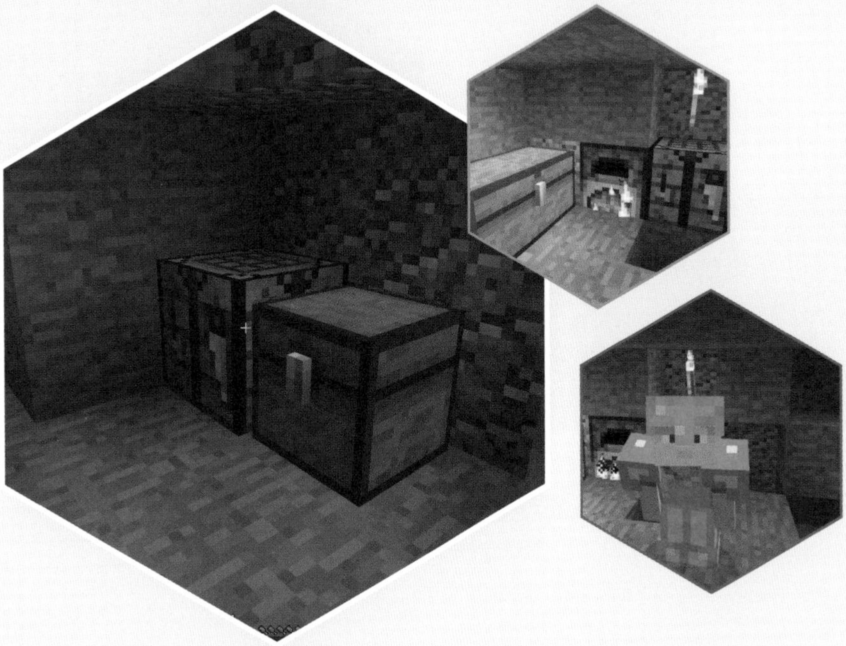

Attention aux outils

Pour récupérer du diamant sur un minerai de diamant, il faut utiliser un pioche de fer ou une pioche en diamant. Utiliser un autre outil ne permettra pas de récupérer de diamant. En utilisant l'enchantement "fortune", tu augmentes tes chances de récupérer plus de diamant en minant.

Les petits coins

N'hésite pas à aménager des petits recoins avec un établi et un coffre lorsque tu mines le sous-sol. Tu pourras y entreposer quelques minerais, vider ton inventaire et fabriquer de nouveaux outils, sans avoir à remonter dans ton abri. En cas de problème, tu ne perdras pas tout.

Une histoire de couche

Le diamant et l'émeraude sont deux minerais rares que tu peux trouver à partir de la couche 5 jusqu'à la couche 12. La bedrock est considérée comme la couche 1. Quand tu l'atteins, tu peux remonter de quelques blocs pour chercher tes précieux minerais.

C'est du béton !

Il faut 4 blocs de gravier, 4 blocs de sable et une teinture pour fabriquer un bloc de béton en poudre. Ce bloc se comporte comme du sable et du gravier, et est donc soumis à la gravité. En revanche, s'il tombe dans l'eau, il va se solidifier. S'il pleut, ce bloc ne risque pas de se transformer pour autant. Tu ne trouveras pas ce bloc de décoration à l'état naturel dans Minecraft. Il faut le fabriquer.

L'argile

L'argile se récupère à l'aide d'une pelle. Tu en trouveras dans l'eau (plus souvent dans les marais). Tu peux facilement différencier le bloc d'argile car il est plus foncé que le sable. Quand tu utilises la pelle, tu récupères 4 boules d'argile (à moins d'avoir "toucher de soie").

Des briques

En plaçant au four une boule d'argile, tu vas obtenir une brique. Avec 3 briques, tu peux fabriquer un pot de fleur. En combinant 4 briques, tu vas fabriquer un bloc de brique. Tu peux en faire aussi des escaliers et des dalles.

Terre cuite émaillée

Pour obtenir la terre cuite, il faut placer le bloc d'argile au four. En utilisant une teinture avec ce bloc, tu obtiendras de la terre cuite colorée. Enfin, en passant au four ce bloc coloré, tu vas obtenir de la terre cuite émaillée dont le motif dépend de la couleur.

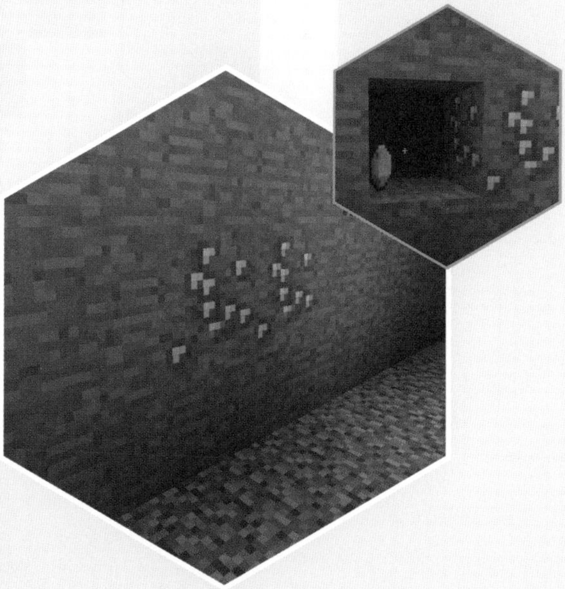

Super rare

Le minerai d'émeraude est le plus rare que tu puisses rencontrer dans les sous-sol de Minecraft. Il est généré uniquement dans les biomes "collines extrêmes" et possède le même pourcentage d'apparition que pour le diamant, mais ce dernier peut apparaître dans n'importe quel biome.

Redstone

La redstone se trouve aux mêmes couches de sous-sol que le diamant. Tu en trouveras bien plus souvent que des diamants (le minerai de redstone serait généré 8 fois plus que le minerai de diamant). Si tu es adepte de mécanique redstone en survie, tu vas t'amuser.

Obsidienne

Dans tes séances de minage, amène avec toi un ou plusieurs seaux d'eau. Tu pourras ainsi transformer la lave en obsidienne. Pour miner l'obsidienne, il te faut impérativement une pioche en diamant. C'est le seul moyen de l'extraire.

BLOC DE COMMANDE

Le bloc de commande permet de modifier tout l'environnement dans Minecraft. C'est un outil extrêmement puissant. Voici quelques exemples de ce que tu peux faire avec.

Le bloc de commande

Le bloc de commande permet de modifier l'environnement en entrant du code dans le bloc. Tu peux relier ces blocs pour qu'ils intéragissent entre eux (comme un programme informatique où chaque ligne de code est représentée par un bloc). Lorsque tu crées un nouveau monde, clique sur "plus d'options" et assure-toi que l'option "commandes" soit enclenchée. Ensuite, lorsque tu entres dans ton univers, tapes la commande **/give @p command_block** pour récupérer un bloc de commande dans ton inventaire. Si tu joues sur un serveur, remplace **@p** par le nom de ton personnage.

Zombie géant

Récupère un bloc de commande et pose soit un bouton dessus, soit une plaque de pression devant. Le monstre ainsi invoqué portera un bloc de diamant dans la main et s'appellera GrosZombie. Voici le code à entrer : **summon Giant ~ ~10 ~ (Equipment:[(id:diamond_block),(),(),(),()],CustomName:"Gros Zombie")**. Le caractère ~ permet d'indiquer une position relative par rapport au bloc de commande. Cela permet d'éviter de rentrer des coordonnées entières et de devoir le changer si tu déplaces ton bloc de commande.

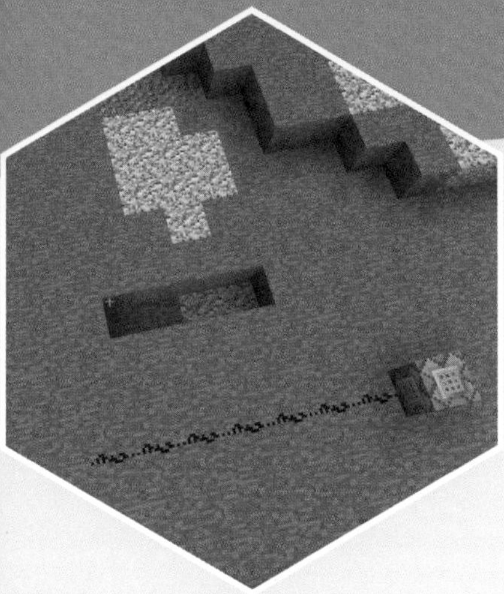

Trampoline

Place un bloc de commande au sol et entre la ligne suivante à l'intérieur : **effect @p 8 2 10**. Relie le bloc à une plaque de pression (ou plusieurs) à l'aide de poudre de redstone. Lorsque tu vas marcher sur la plaque, cela va activer la commande du bloc, et appliquer l'effet de potion de saut amplifié.

Tête de bloc

Tu veux changer de look ? Utilise le bloc de commande et rentre **replaceitem entity @p slot. armor.head minecraft:skull**. Dans cet exemple, ta tête sera remplacée par le crâne d'un squelette. Si tu remplacez "**skull**" par "**stone**", "**glass**" ou "**diamond_block**", tu auras un bloc de pierre, de verre ou de diamant.

Effet de potion

Pour obtenir les effets d'une potion d'une durée quasi infinie, pose un bloc de commande et entre la commande suivante : **effect @p 1 999999**. Cet exemple applique les effets d'une potion de vitesse sans avoir à en fabriquer une.

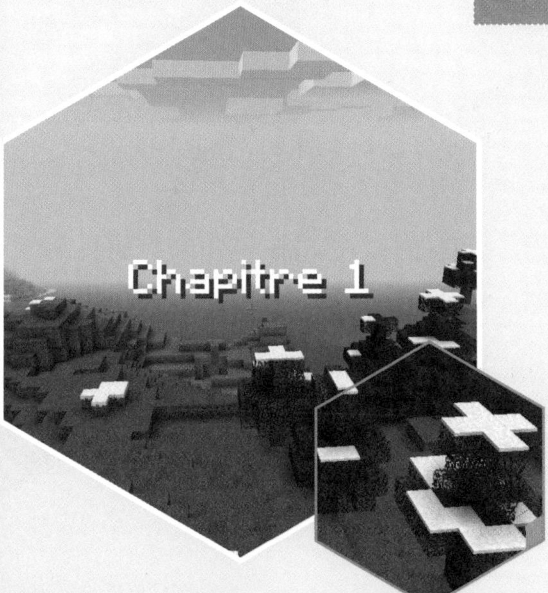

Créer un titre

Créer des titres peut être utile pour prévenir d'une téléportation dans une arène joueurs contre joueurs, par exemple. Pour créer un titre simple, pose un bloc de commande et intègre la ligne de commande : **title @p title (text: "Chapitre 1")**.

Friendly fire

Pour activer l'option qui permet de ne pas se blesser entre joueurs d'une même équipe, entre la commande suivante **/scoreboard teams options "nom de l'équipe" friendlyfire false**. Certains serveurs utilisent ce type de commande par équipe pour éviter les problèmes.

Sous-titre

Pour créer un sous-titre, utilise la commande **title @p subtitle (text:"ton texte")**. Comme pour la commande "title", tu peux changer la couleur ou le type d'affichage de ce texte. Fais des tests, c'est un bon entraînement pour comprendre le principe.

Texte en couleur

Dans la commande **/title**, tu peux ajouter des options pour changer la couleur de ton texte, en ajoutant la variable "color" dans ta commande : **/title @p title ("text" : "ton texte", "color" : "ta couleur")**. Tu peux utiliser 18 teintes différentes pour égayer tes messages !

Anti-chute

Entre cette commande pour récupérer des bottes permettant de tomber d'une hauteur plus importante qu'à l'habitude : **/ give @p leather_boots 1 0 (ench:[(id:2,lvl:10)])**. Tu peux t'amuser à sauter de très haut sans peur ! Attention tout de même aux chutes vertigineuses, tu pourrais te faire très mal !

Cochon volant

Pour créer un cochon volant, entre la commande suivante dans ton bloc de commande : **summon Bat ~0 ~2 ~0 (Passengers:[(id:Pig)])**. Cette commande fait apparaître un cochon deux blocs au-dessus du bloc de commande, chevauchant une chauve-souris.

Afficher la santé

Tu peux utiliser la commande "scoreboard" pour décider d'afficher les points de vie sous le nom du joueur. La première ligne crée une variable qui s'appelle "vie" et qui prend en compte les points de vie du joueur. La deuxième ligne affiche à l'écran la variable "vie" sous le nom du joueur. Entre **/scoreboard objectives add vie health** et **/scoreboard objectives setDisplay belowName vie**.

De la fumée

En utilisant des effets de particules, tu peux rendre ton univers encore plus vivant. Cet effet permet de créer de la fumée. Tu peux t'en servir pour scénariser une apparition de monstres, par exemple. /particle cloud ~ ~1 ~ 0 1 0 0.01 1000 @e[name=""].

Ça brille

Ce code permet d'activer les particules d'un villageois content. Si tu es créateur de carte, tu peux indiquer un endroit magique sur une zone avec ce code dans un bloc de commande : particle happyVillager ~ ~1 ~ 1 1 1 0.01 100 @e[name=""].

Pas content

Il existe plus d'une trentaine d'effets pour les particules. Cette ligne de commande affiche les particules déclenchées lorsque tu fais des actions contre les villageois. /particle angryVillager ~ ~1 ~ 1 1 1 0.01 100 @e[name=""].

C'est la fête !

Pour faire apparaître un feu d'artifice, tu peux placer un bloc de commande, installer un bouton dessus, ou une plaque de pression devant, et entrer la commande suivante summon FireworksRocketEntity ~ ~ ~ {LifeTime:30}. Lorsque tu actives le bloc de commande, la fusée se lance.

Enchantement

En utilisant la commande "ench", tu peux enchanter des objets. Le code suivant give @p leather_helmet 1 0 {ench:[{id:0,lvl:5},{id:7,lvl:5}]} permet par exemple de récupérer un casque qui possède les enchantements "protection" et "épines" au niveau V.

Sécurité

Tu peux placer un bloc de commande dans un wagonnet. Pour cela, utilise la commande summon MinecartCommandBlock ~ ~1 ~. Pousse ensuite le wagonnet sur un rail de propulsion activé : cela déclenchera la commande entrée dans le bloc.

On saute

Le code suivant téléporte les entités présentes dans le monde aux coordonnées relatives à la position du bloc de commande. En empêchant la créature de se déplacer, le téléporter d'un bloc au-dessus donne l'impression qu'il saute sur place (puisqu'il retombe). Place dans ton monde deux personnages et entre ce code dans le bloc de commande : **tp @e[type=!Player] ~ ~3 ~**. La mention "!" devant "Player" signifie "not" (tout sauf).

Marron glacé

À l'aide de deux blocs de commande, tu peux créer un nouveau pouvoir dans Minecraft. Lorsque tu frapperas un monstre, tu créeras un bloc de glace qui bloquera et tuera tes ennemis. Crée un système d'horloge, en plaçant deux répéteurs qui se suivent dans un sens, et deux autres à côté, dans le sens inverse. Fais un clic droit deux fois sur chaque répéteur, et pose une torche redstone devant la poudre redstone, puis enlève-la immédiatement pour mettre en route l'horloge. Crée la variable qui sert de mesure : **/scoreboard objectives add damage stat.damageDealt**. Ensuite, entre la ligne de code dans le premier bloc : **execute @p[score_damage_min=1] ~ ~ ~ execute @e[r=6,type=!Player] ~ ~ ~ fill ~-1 ~-1 ~-1 ~1 ~2 ~1 ice 0 hollow**. Puis, entre cette ligne de code pour remettre à zéro la variable "damage" **scoreboard players set @p[score_damage_min=1] damage 0**.

Creeper chargé

Pour faire apparaître un creeper frappé par la foudre, pose un bloc de commande, ainsi qu'un bouton ou une plaque de pression devant. Entre la commande suivante : **summon Creeper ~ ~10 ~ {powered:1}**. Attention à l'explosion si tu t'approches trop !

Construction rapide

Sur un monde plat, tu peux utiliser cette commande pour créer une structure en glace automatiquement **/fill ~ ~2 ~ ~10 ~4 ~60 minecraft:ice 0 outline**. Tu peux remplacer outline par hollow, replace ou destroy pour voir les différences.

Son d'ambiance

La commande "playsound", permet d'ajouter des ambiances en piochant directement dans la banque de son de Minecraft. Par exemple, entre cette commande **/ playsound random.door_open@p**.

Lorsque le bloc de commande se déclenche, un son de porte se fait entendre.

Merci à toute la communauté !

Merci à la communauté Minecraft pour le partage d'astuces et de trouvailles innombrables. J'espère que ce livre te sera utile, que tu sois fan de redstone, de décoration ou explorateur.

Minecraft évolue régulièrement, les développeurs ajoutent de nouvelles fonctionnalitées, inventent de nouveaux lieux à explorer et de nouveaux monstres à affonter. Alors, reste curieux, chaque nouvelle partie est une aventure à part entière !

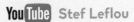

YouTube Stef Leflou

@SLeflou